IN NOMINE DEI

Obras do autor publicadas pela Companhia das Letras

Alabardas, alabardas, espingardas, espingardas
O ano da morte de Ricardo Reis
O ano de 1993
A bagagem do viajante
O caderno
Cadernos de Lanzarote
Cadernos de Lanzarote II
Caim
A caverna
Claraboia
O conto da ilha desconhecida
Don Giovanni ou O dissoluto absolvido
Ensaio sobre a cegueira
Ensaio sobre a lucidez
O Evangelho segundo Jesus Cristo
História do cerco de Lisboa
O homem duplicado
In Nomine Dei
As intermitências da morte
A jangada de pedra
Levantado do chão
A maior flor do mundo
Manual de pintura e caligrafia
Memorial do convento
Objecto quase
As palavras de Saramago (org. Fernando Gómez Aguilera)
As pequenas memórias
Que farei com este livro?
O silêncio da água
Todos os nomes
Viagem a Portugal
A viagem do elefante

JOSÉ SARAMAGO

IN NOMINE DEI
Teatro

9ª reimpressão

PRÊMIO NOBEL
COMPANHIA DAS LETRAS

Copyright © 1993 by José Saramago
e Editorial Caminho S.A., Lisboa

Capa
Hélio de Almeida
sobre relevo de Arthur Luiz Piza

Revisão
Francisco José Couto
Fátima Couto
Laura Victal

A editora manteve a grafia vigente em Portugal, observando as regras do Acordo Ortográfico da Língua Portuguesa de 1990.

Dados Internacionais de Catalogação na Publicação (CIP)
(Câmara Brasileira do Livro, SP, Brasil)

Saramago, José 1922-2010.
In Nomine Dei : teatro / José Saramago — São Paulo : Companhia das Letras, 1993.

ISBN 978-85-7164-328-4

1. Teatro português I. Título.

93-1803   CDD-869.2

Índice para catálogo sistemático:
1. Teatro : Literatura portuguesa 869.2

2017

Todos os direitos desta edição reservados à
EDITORA SCHWARCZ S.A.
Rua Bandeira Paulista, 702, cj. 32
04532-002 — São Paulo — SP
Telefone: (11) 3707-3500
www.companhiadasletras.com.br
www.blogdacompanhia.com.br
facebook.com/companhiadasletras
instagram.com/companhiadasletras
twitter.com/cialetras

Sumário

Primeiro ato
Primeiro quadro 15
Segundo quadro 15
Terceiro quadro 16
Quarto quadro 25
Quinto quadro 33
Sexto quadro 36
Sétimo quadro 44

Segundo ato
Primeiro quadro 61
Segundo quadro 74
Terceiro quadro 80
Quarto quadro 93

TERCEIRO ATO
Primeiro quadro 105
Segundo quadro 117
Terceiro quadro 126
Quarto quadro 135
Quinto quadro 145

CRONOLOGIA SUMÁRIA DO MOVIMENTO ANABATISTA
  EM MÜNSTER
A Reforma em Münster (1530-1533) 158
Radicalização até ao batismo dos adultos 160
A "Nova Jerusalém" (Fevereiro-Abril de 1534) 162
Jan van Leyden, profeta e rei (Abril de 1534-Janeiro
  de 1535) 164
Fome, derrota, castigo (1535-1536) 166

A Pilar

A Mimma Guastoni
A Azio Corghi
A Will Humburg

Entre o homem, com a sua razão, e os animais, com o seu instinto, quem, afinal, estará mais bem dotado para o governo da vida? Se os cães tivessem inventado um deus, brigariam por diferenças de opinião quanto ao nome a dar--lhe, Perdigueiro fosse, ou Lobo-d'Alsácia? E, no caso de estarem de acordo quanto ao apelativo, andariam, gerações após gerações, a morder-se mutuamente por causa da forma das orelhas ou do tufado da cauda do seu canino deus?

Que não sejam estas palavras tomadas como uma nova falta de respeito às coisas da religião, a juntar à Segunda vida de Francisco de Assis *e ao* Evangelho segundo Jesus Cristo. *Não é culpa minha nem do meu discreto ateísmo se em Münster, no século XVI, como em tantos outros tempos e lugares, católicos e protestantes andaram a trucidar-se uns aos outros em nome do mesmo Deus —* In Nomine Dei —

para virem a alcançar, na eternidade, o mesmo Paraíso. Os acontecimentos descritos nesta peça representam, tão-só, um trágico capítulo da longa e, pelos vistos, irremediável história da intolerância humana. Que o leiam assim, e assim o entendam, crentes e não crentes, e farão, talvez, um favor a si próprios. Os animais, claro está, não precisam.

Personagens

Berndt Knipperdollinck, chefe da oposição anticlerical em Münster, anabatista.
Berndt Rothmann, pregador anabatista.
Síndico de Münster, antes de Von der Wieck.
Franz von Waldeck, bispo católico de Münster.
Von der Wieck, síndico de Münster.
Uma mulher
Jan Matthys, "apóstolo" anabatista.
Jan van Leiden, "apóstolo" anabatista, depois "rei" de Münster.
Gertrud von Utrecht, ou Divara, mulher de Jan van Leiden.
Jan Dusentschuer, o "profeta coxo".
Hubert Ruescher, ferreiro.
Hille Feiken

HEINRICH MOLLENHECK, antigo mestre do grémio dos ferreiros.
UM SOLDADO ANABATISTA
HEINRICH KRECHTING, anabatista ex-sacerdote católico, conselheiro do "rei".
ELSE WANDSCHERER, mulher de Jan van Leiden.
HANS VAN DER LANGENSTRATEN, mercenário ao serviço de Münster.
HEINRICH GRESBECK, anabatista que deserta com Langenstraten.
UM CAPITÃO DO EXÉRCITO CATÓLICO
BERNDT KRECHTING, irmão de Heinrich Krechting.
Povo de Münster (católicos, luteranos, anabatistas).
Eclesiásticos, soldados do exército de Waldeck.

A ação decorre em Münster (Alemanha), entre maio de 1532 e junho de 1535.

Primeiro ato

Primeiro Quadro

Anoitecer. O chão está coberto de cadáveres, homens e mulheres. No meio deles, alumiando-se com lanternas, vão e vêm soldados armados. Procuram, entre os corpos, os que ainda dão sinais de vida. Quando encontram algum, acabam-no com uma punhalada. Pouco a pouco, a luz tem vindo a diminuir. Um atrás de outro, terminada a tarefa, os soldados retiram-se. A escuridão torna-se total quando o último vai desaparecer.

Segundo Quadro

Voz recitante (*Soando nas trevas*)
Eis a palavra de Daniel: "E ouvi jurar o homem vestido de linho que estava sobre as águas do rio, levantando ao céu

a mão esquerda assim como a mão direita: 'Por Aquele que vive eternamente, isto será num tempo, tempos e metade de um tempo. Primeiro, a força do povo há de quebrar-se inteiramente. Então todas estas coisas se cumprirão.'"

(*A luz regressa lentamente. A música prolonga e sustenta, por algum tempo, a ressonância ameaçadora da profecia. O cenário — o mesmo em toda a peça — representará a praça do mercado, porém alterada em relação à realidade, de maneira a mostrar, à esquerda, a Catedral, ao centro, a Câmara Municipal, à direita, a Igreja de S. Lamberto. Entre elas, apenas algumas casas.*)

TERCEIRO QUADRO

Entram Knipperdollinck e Rothmann, acompanhados de alguns homens e mulheres.

KNIPPERDOLLINCK

O tempo em que se cumprirão as profecias é chegado.
Eis que o ouço, imperioso, bater às portas de Münster.
Vão já distantes os dias em que mal ousávamos protestar e combater os mosteiros onde os frades exercem as artes e os ofícios que só a nós competem.
Uma religião não é uma guilda de mesteirais.
Mas o tempo, justiceiro, bate às portas da cidade e traz outras notícias.
Os camponeses que os príncipes alemães andaram a matar no Sul ressuscitam agora no Norte, mas, desta vez, não exigem somente o pão e a justiça.

A língua morta deles reencarnou na nossa língua viva, e eis que uma e outra estão reclamando o trabalho constante de Deus no meio dos homens.

Porque é hora de tornar-se cada homem num enviado e num profeta do Senhor.

ROTHMANN

A reformada palavra de Deus soprou o ar dos meus pulmões e tomou o caminho da minha boca quando ainda andava pregando fora das muralhas de Münster, na Igreja de S. Maurício.

Dali me foi expulsar nefandamente Waldeck, o bispo dos católicos, cometendo violência contra a minha liberdade e a minha alma.

Mas os mercadores da cidade, esses que na minha juventude, para benefício da comunidade, me mandaram estudar em Wittenberg, deram-me abrigo e proteção, e hoje a minha voz ressoa aqui, no coração de Münster, nesta Igreja de S. Lamberto.

Porém, Mestre Knipperdolinck, não tomes por profeta ou enviado de Deus aquele que é apenas um portador da Sua palavra.

KNIPPERDOLLINCK

O tempo, servo obediente de Deus e executor das Suas ordens, dirá quem tu és e quem nós somos, Rothmann, que trabalhos nos esperam, que pena e glória nos tem reservadas, desde o primeiro dia, a sabedoria eterna do Senhor.

Escuto, como o retumbar de uma imensa porta de ferro, o virar da página em que foram escritos os nossos nomes no Livro do Mundo.

Rothmann

Todos seremos chamados, disse o Senhor.

Knipperdollinck

Obremos de modo que todos sejamos escolhidos. A mão direita de Deus nos acolherá, a Sua mão esquerda precipitará no abismo os nossos inimigos.

Rothmann

Que a cidade de Münster seja como um altar na terra. Lembremo-nos do que Gedeão disse ao Senhor:
"Se hás de salvar realmente Israel pela minha mão, eis que eu estenderei um velo de lã sobre a eira:

Se o orvalho cair só nele, ficando toda a terra seca, reconhecerei que é por minha mão que livrarás Israel.

E Gedeão, antes do amanhecer, espremeu a lã e encheu um copo de orvalho.

Mas Gedeão disse de novo a Deus:

Não se acenda contra mim o Teu furor, se Te falo ainda outra vez para pedir-Te mais uma prova:

Que só o velo fique seco e que toda a terra seja molhada pelo orvalho.

Foi o que Deus fez naquela noite: só o velo ficou seco, enquanto toda a terra ficou coberta de orvalho."

Gente de Münster, aproxima-se o dia em que o orvalho de Deus cairá sobre as nossas cabeças.

Sejamos como o velo de lã de Gedeão, impregnemo-nos da palavra do Senhor, para que, quando chegar a hora de serem espremidas as nossas almas, possa encher-se de Deus o copo de Deus.

KNIPPERDOLLINCK
Mas aos católicos achá-los-á o Senhor secos da alma e do corpo, pois o sangue que nas veias lhes corre é como o sangue do Demónio, frio e amargo.

(Da Catedral saem teólogos católicos acompanhados de fiéis.)

CORO DE ECLESIÁSTICOS
Um dia pagarás por essas palavras infames, Knipperdollinck.

KNIPPERDOLLINCK
Pagarei por todas as palavras, as que disse e as que disser, pagarei também pelos atos, todos eles, os que cometi e os que cometerei, mas o meu credor é só Deus, ao passo que vós deveis-vos inteiros ao Diabo.

CORO DE ECLESIÁSTICOS
Detestado sejas tu, sequaz de Lutero.
Ofendes a Igreja do Senhor e isso é como ofender o próprio Deus, porque se é certo que o Senhor, sendo Deus, pode, se for essa a Sua vontade, perdoar as ofensas que Lhe fazem, a Igreja, Seu baluarte e Seu castelo, sempre há de exterminar os ofensores.

ROTHMANN
Porquê? Será a Igreja, a vossa, maior que Deus?

KNIPPERDOLLINCK
Se Deus perdoa, como é possível que a Igreja não?

CORO DE ECLESIÁSTICOS
Em nome de Deus, a Igreja perdoaria, mas, se o ofendido é o próprio Deus, então, no tempo do pecado cometido, o castigo da Igreja será inevitável,
Qualquer que, na eternidade, venha a ser a sentença última de Deus.

ROTHMANN
Deus é perdão.

CORO DE ECLESIÁSTICOS
Até quando teria a Igreja de ficar à espera de que o perdão de Deus se manifestasse?
Bem vemos a malícia que ocultais nos vossos corações.
Dizeis que vos entregais nas mãos de Deus e dessa maneira imaginais poder escapar às nossas.

ROTHMANN
Deus, no fim do tempo, escolherá entre nós e vós.
Mas hoje, aqui, no chão predestinado de Münster, seremos nós a implantar a bandeira do desafio.
Negamos que a missa tenha carácter sacrificial, mas cremos e protestamos que Cristo está, nela, em presença real.
Defendemos que os serviços religiosos, todos eles, incluindo o batismo das crianças, não devem ser celebrados em latim, mas na língua do povo.
Proclamamos que...

CORO DE ECLESIÁSTICOS
Não continues, Rothmann, por de mais conhecemos esses e outros artigos com que tu e os teus acreditais poder reduzir a Igreja Católica.
Falas de língua do povo, e nós perguntamos-te: Que vem a ser isso a que chamas língua do povo, se está escrito que Deus confundiu em Babilónia, para que não se compreendessem uns aos outros, as línguas dos que construíam a torre?
Não deveremos concluir daqui que Deus queria que as suas criaturas Lhe falassem numa só língua?

ROTHMANN
Não há poder que prevaleça contra a vontade do Senhor.
Bastaria o mais ligeiro sopro Seu para que se derrubasse a torre em Babel e ficassem sepultados debaixo dela os presunçosos construtores.
Mas Deus, misericordioso, só quis confundir-lhes as línguas,
Para que em todas tivessem os homens de adorá-Lo no futuro,
E não no vosso latim, que nenhum povo fala.

CORO DE ECLESIÁSTICOS
Os teus argumentos são sofismas, Rothmann.
De nada te servirá a retórica quando formos chamados à presença do Deus que nos julgará.

ROTHMANN
Quando estivermos diante de Deus, até o meu silêncio soará mais alto que todo o vosso latim.

KNIPPERDOLLINCK

Há um tempo para ser novo e um tempo para ser velho, um tempo para discutir e um tempo para decidir.

Bem vedes, católicos, que as vossas razões não nos convencem, depois do mau uso que delas andais a fazer há mil e quinhentos anos e da perversa maneira como as defendeis hoje.

CORO DE ECLESIÁSTICOS

Não temos do nosso lado só a autoridade da Igreja, temos também o favor dos príncipes e dos ricos.

ROTHMANN

Esse favor não o teve Jesus nunca, nem na vida nem na morte.

CORO DE ECLESIÁSTICOS

E o Imperador protege-nos.

KNIPPERDOLLINCK

O dever de um imperador na terra é proteger por igual a todos os seus súbditos, seguindo o exemplo de Deus, Imperador do Universo.

Mesmo que fôsseis aqui em maior número que nós, ficai sabendo que o vosso direito não seria maior que o nosso.

O direito de um só é igual à soma dos direitos de todos, o direito de uma cidade é igual ao direito do reino de que faz parte, o direito de Münster é igual ao direito do Império.

CORO DE ECLESIÁSTICOS
Lembra-te do que agora disseste, se algum dia vierdes a ser em maior número que nós.
Que não o há de querer Deus.

KNIPPERDOLLINCK
Os homens só começam a saber o que Deus quer, quando trocam a palavra pelas ações.
Enquanto os homens não agem, Deus apenas ouve. Mas, porque soou nos relógios de Münster a hora de decidir e agir, Deus toma a Sua lança e vem para o meio de nós.

ROTHMANN
Nada podeis contra a nossa razão, teólogos, nada podereis contra a nossa força, se vos atreverdes a desafiá-la.

CORO DE ECLESIÁSTICOS
A loucura entrou nas vossas cabeças.

KNIPPERDOLLINCK
Deus foi quem entrou em nós, não a loucura.

ROTHMANN
Basta de controvérsia.
Se quiserdes assistir à vossa humilhação, ficai.
Vêm chegando os conselheiros municipais, ouvireis o que temos para dizer-lhes.

SÍNDICO
Qual é o vosso requerimento?

KNIPPERDOLLINCK
Um vento novo sopra nas terras baixas da Holanda e por todo o Norte da Alemanha.
A nossa alma escuta as palavras novas de Deus, o sopro da Sua boca queima-nos o rosto.
O tempo é chegado de introduzir-se em Münster a Reforma.

CORO DE ECLESIÁSTICOS
Não fareis tal, o Conselho Municipal não tem poderes religiosos, e nós não permitiremos o abuso.
Devemos obediência ao bispo Franz von Waldeck, a ele é que tereis de levar a vossa pretensão, e dele é que recebereis resposta.

KNIPPERDOLLINCK
Conhecemos de antemão o que nos diria Waldeck.
Mas, em Münster mandam os habitantes de Münster, e nós queremos a Reforma.

ROTHMANN
Sim, a Reforma, já.

SÍNDICO
A maioria dos conselheiros é católica.
Não esperes, pois, que o Conselho tome uma decisão que iria contra a vontade e a fé da maior parte dos seus membros.

ROTHMANN
Pois se assim é, nós vos obrigaremos pela força.

(*Tumulto. Os teólogos refugiam-se na Catedral. À entrada da Igreja de S. Lamberto trava-se luta entre católicos e protestantes. Os católicos fogem, assim como os membros do Conselho Municipal. Vencedores, os protestantes entram na Igreja de S. Lamberto, levando Rothmann e Knipperdollinck em triunfo.*)

QUARTO QUADRO

O povo está reunido na praça do mercado. Encontram-se também ali Knipperdollinck e Rothmann. O Conselho Municipal sai da Câmara para fazer um anúncio público.

SÍNDICO
　　Aqui tendes o resultado das vossas imprudências.
　　Aqui tendes como responde o bispo Waldeck à introdução da Reforma nas igrejas paroquiais, que pela força haveis ocupado.
　　Todas as mercadorias destinadas a Münster, onde quer que se encontrem e donde quer que provenham, serão confiscadas.
　　Estão cortadas as estradas que dão acesso à cidade.
　　Não será levantado o bloqueio enquanto não for restituído à Igreja Católica o pleno magistério das paróquias.
　　Estas são as ordens do bispo Waldeck.

KNIPPERDOLLINCK
　　E as tuas, quais são?

SÍNDICO
　　Como representante do povo, e tendo em conta o inte-

resse da cidade, ordeno que seja imediatamente satisfeita a reclamação do bispo, entregando-se à Igreja as paróquias tomadas por violência.
Assim a paz voltará a Münster.

KNIPPERDOLLINCK
Podes considerar-te nosso representante, mas não pretendas ser defensor da nossa paz.
Porque isso a que vós chamais paz é a pior das guerras, esta que agora mesmo nos estais fazendo, ao querer que nos submetamos, como escravos, às ordens de Waldeck.

ROTHMANN
Vede bem no que vos meteis, ó conselheiros.
Olhai que não será mais difícil mudar de representantes na Câmara do que foi mudar de pregadores nas paróquias.

SÍNDICO
Ameaças-nos?
Fomos eleitos pelo povo de Münster, só o povo de Münster poderá retirar-nos a vara do mando.

KNIPPERDOLLINCK
Mandai dizer ao bispo Waldeck que se ele pretende render a nossa vontade pela falta de alimento, os primeiros a jejuar serão os teólogos, cónegos e outros mais eclesiásticos da sua Catedral.
Povo de Münster, prendei e trazei para aqui, atados de mãos, e cada um a todos pelo pescoço, quantos encontrardes, seja qual for a hierarquia.

Bispo não haverá lá, mas podeis imaginar que o é cada um dos que prenderdes, e assim mais vos animareis.

(*Rothmann e um grupo de homens entram na Catedral.*)

SÍNDICO
Enlouqueceste? Pôr mão violenta em ministros do Senhor é um pecado terrível. A ira de Deus cairá sobre a cidade.

KNIPPERDOLLINCK
Deus tem, para O servirem, cónegos a mais e homens a menos. Se estes teólogos vierem a morrer de fome, podes ter a certeza de que o mundo não notará a falta, e eles, quando no inferno entrarem, só poderão queixar-se do seu bispo amantíssimo.
(*Para o síndico*) Já mandaste um mensageiro avisar Waldeck de que os cónegos da Catedral ficam reféns da cidade?

SÍNDICO
Da cidade, não, de um punhado de insurretos. Porque a cidade, essa, representamo-la nós.

KNIPPERDOLLINCK
Não me representais a mim e a muitos como eu.
Mas basta já de conversa, aí vem quem nos há de reabrir as estradas e desembargar as mercadorias.
(*Para os teólogos atados*) Se o bispo vos quer tanto

como imagino, não tardareis a recuperar a liberdade, entretanto podeis ir-vos gabando da importância que vos damos, fazendo de vós reféns da cidade.

CORO DE ECLESIÁSTICOS
Maldito sejas.

KNIPPERDOLLINCK
O Diabo não pode amaldiçoar um cristão, seria como se estivesse a abençoá-lo pela sua fé. Tomo portanto essa maldição como uma homenagem.

CORO DE ECLESIÁSTICOS
Excomungados.

ROTHMANN
Excomungar-nos da vossa Igreja, sim, podeis fazê-lo, mas não da fé em Cristo. Cuidai antes que talvez esteja Cristo, neste momento, separando as águas, e que seja o nosso rio, não o vosso, aquele em que virá ordenar a nova purificação.

CORO DE ECLESIÁSTICOS
Falas de batismo?

ROTHMANN
Poderia ser.

CORO DE ECLESIÁSTICOS
Heresia, heresia, heresia.

O sacramento do batismo é indelével, não se pode repetir.

KNIPPERDOLLINCK
Outro dia, se ainda não tiverdes morrido de fome, debateremos esses pontos de teologia.

Agora (*Para os companheiros*) levai-os vós para a prisão, e já sabeis, nenhuma comida, água, quanta queiram, embora protestem que não precisam de novo batismo.

SÍNDICO
Como autoridade civil eleita que somos, os presos devem ficar à nossa guarda.

KNIPPERDOLLINCK
Dizeis bem, sois a autoridade civil. Mas este caso é de diferenças religiosas, e portanto não tendes nada que fazer com ele.
Arredai-vos para lá, e deixai-nos com a nossa guerra.

SÍNDICO
Já aí vem quem verdadeira guerra vos vai fazer.

(*Entra o bispo Waldeck, acompanhado de religiosos e homens de armas. Vem armado ele próprio. Tornar-se-á patente, neste momento, a divisão da cidade entre católicos e protestantes. Enquanto os católicos dão mostras de respeito diante do bispo, os protestantes fazem questão de evidenciar a sua hostilidade.*)

WALDECK
Quem foi que ousou afrontar com violência o sagrado recinto da minha Catedral? Quem carregou de cadeias os meus teólogos e quer levá--los presos?

KNIPPERDOLLINCK
Eu dei a ordem.

WALDECK
Liberta os que prendeste.

KNIPPERDOLLINCK
Desembarga as nossas mercadorias, abre as nossas estradas.

WALDECK
Não, enquanto não tiverdes restituído à Igreja as paróquias que lhe foram roubadas.

KNIPPERDOLLINCK
Torno a dizer: Liberta as nossas estradas, desembarga as nossas mercadorias.
Não o faças, e tem por certo que não tardarás a receber teólogos mortos em vez de paróquias vivas,
Porque a partir deste momento nenhuma comida entrará nas suas bocas.

ROTHMANN
Não penses em ordenar a esses soldados que nos ataquem.

Aqueles de nós que morressem tornar-se-iam em arma e escudo nas mãos dos vivos, e contra ti iríamos todos juntos, os vivos e os mortos.

SÍNDICO
Busquemos uns com os outros uma solução justa para este conflito.
Embainhai as espadas e os punhais.

KNIPPERDOLLINCK
Que o façam primeiro os soldados.

(Waldeck levanta a mão. Os soldados recolhem as armas. Os outros fazem o mesmo.)

SÍNDICO
Sabeis que a alma, o corpo e a fé da maioria dos conselheiros de Münster pertencem à Igreja Católica.

Mas é nossa obrigação de conselheiros tudo fazer para poupar a cidade aos sofrimentos duma contenda como esta.

Tanto mais que por Carlos, nosso Imperador, foi em Nuremberga determinado que, até à realização do anunciado concílio, ninguém pudesse ser molestado nas suas crenças religiosas.

Tomai então, para a resolução deste caso, vós, bispo Waldeck e nosso príncipe, e vós, protestantes da cidade, o espírito da Paz de Augsburgo.

E usemos uns com os outros de boa vontade suficiente e suficiente tolerância.

Até que o Imperador outra coisa ordene.

KNIPPERDOLLINCK
Vem aqui comigo, Rothmann. (*Knipperdollinck e Rothmann conversam em voz baixa. Depois*) Eis as nossas condições:
Desembargue o bispo as mercadorias e faça abrir as estradas, e nós libertaremos os teólogos.
Quanto às paróquias, o que está, está, e assim continuará.
O bispo que tome conta da Catedral e dos conventos.

WALDECK
Há malevolência e atrevimento diabólico na vossa proposta, mas, tendo em conta a vontade soberana do Imperador e a força das presentes circunstâncias, condescendo em aceitá-la.
A Igreja esperará o seu dia, pois devíeis saber que o tempo lhe pertence.
E vós pagar-me-eis três vezes e trinta vezes esta ofensa.
Em mim, nem o príncipe esquece, nem o bispo perdoa.

(*Waldeck retira-se com os soldados. Os teólogos são libertados e correm para a Catedral, fechando com estrondo as portas. Os conselheiros, cabisbaixos, entram na Câmara Municipal. Os protestantes celebram a vitória.*)

QUINTO QUADRO

O povo, na praça, elege novo Conselho Municipal. A divisão entre católicos e protestantes será manifesta, mas deverão, também, começar a notar-se diferenças entre protestantes luteranos conservadores e protestantes radicais.

SÍNDICO
Cidadãos de Münster, quem de vós ainda não votou?

(Aproximam-se alguns, trazem um papel na mão, que introduzem na urna, perante o Conselho Municipal.)

SÍNDICO
Ninguém mais se quer apresentar? Expressaram a sua vontade quantos podiam e desejavam fazê-lo? Que ninguém se queixe depois por não o ter feito quando devia, porque tão responsável é esse pelo resultado da eleição como aquele que entregou o seu voto.
Vamos proceder à contagem.

(Os votos são despejados sobre a mesa e contados. Formam-se dois montes desiguais. Perceber-se-á, pela atitude do Síndico, que o monte de votos maior vai contra os seus desejos. Terminada a contagem, o Síndico anuncia o resultado.)

SÍNDICO
Cidadãos de Münster, o Conselho Municipal da vossa cidade passou a ter maioria de protestantes.

Assim foi que o quisestes, assim o ireis ter.
Se para vós tiver de chegar a hora do arrependimento, queira Deus não seja então demasiado tarde.

(*Os protestantes aclamam o novo Conselho. Os católicos aplaudem timidamente os seus poucos representantes. O antigo Conselho dispersa-se na multidão. O Conselho eleito entra na Câmara Municipal. Todos se retiram, exceto Knipperdollinck e Rothmann.*)

KNIPPERDOLLINCK
Abençoemos este dia, Rothmann.
Já não é só nas sete paróquias da cidade que é pregada a palavra reformada de Deus.
A partir de hoje, também na assembleia do Conselho ela será escutada e obedecida.
O trabalhoso caminho da Reforma tornou-se fácil em Münster.
A fé o endireita, o poder dos grémios o fortalece, a autoridade em que fomos investidos o consolida.

ROTHMANN
Abençoemos este dia, Knipperdollinck.
Porém, crê em mim, ainda agora estamos no princípio da jornada, porque é muito mais o que Deus reclama de nós.
Deus não quis câmaras municipais no céu, mas quer, isso sim, que toda a terra seja um espelho do Seu reino.

KNIPPERDOLLINCK
Deus depende, para esse fim, das forças do homem, e essas sabemos que não são grandes.

ROTHMANN
Deus criou todos os animais da terra e a cada um fez conhecer a força que lhe havia dado. Mas, o último ser criado, o homem, não sendo animal, não conhece a sua própria força. Porque a força do homem é de Deus que lhe vem, e só Deus sabe quando, como e para quê dará ao homem forças que ele antes não sonhava ter.

KNIPPERDOLLINCK
Que pensas fazer?

ROTHMANN
Mostrar a Deus que talvez mereçamos mais forças do que as que tínhamos até agora.

KNIPPERDOLLINCK
E como lho mostraremos?

ROTHMANN
De todas as maneiras.
Depois, Ele julgará e se encarregará de escolher as boas.
Deixemos de batizar as crianças recém-nascidas, comunguemos no pão e no vinho, disciplinemos a vida civil, religiosa e moral da cidade segundo uma regra eclesiástica.
Reformar a Reforma, eis a nossa palavra.
Deus dirá a sua.

(*Saem.*)

SEXTO QUADRO

Multidão em frente da Igreja de S. Lamberto. Ambiente de tensão e expectativa. Sobre uma mesa, alguns pães e um jarro de vinho. Os católicos murmuram. Também os protestantes luteranos conservadores, entre os quais está o novo síndico, Von der Wieck, parecem contrariados.

VON DER WIECK
 Cuidado, cidadãos de Münster.
 O homem não tem à sua espera um só destino, mas muitos.
 O passo que demos encaminhou-nos para um fim, o passo que dermos a seguir poderá desviar-nos para outro.
 A vida é uma linha torta que Deus só endireita e torna legível na hora de morrermos.
 O último instante da vida é o que revela o sentido e a razão de toda a existência.
 Cidadãos de Münster, vivei pois cada momento como se fosse o último, pois melhor do que corrigir o erro é evitá-lo.

KNIPPERDOLLINCK
 Melhor do que evitar o erro é ousar cometê-lo, se esse for o preço para chegar à verdade.
 Ao ouvir-te, Von der Wieck, mais me pareceu que estavas do lado dos católicos do que da gente da tua própria fé.

VON DER WIECK
 Temo os excessos.
 Que fazem aí esse pão e esse vinho? Quem os trouxe?

ROTHMANN
Esta mesa é a da ceia do Senhor, o pão e o vinho são a Sua carne e o Seu sangue.

VON DER WIECK
Demasiado longe levas a tua audácia.

CORO DE CATÓLICOS
Heresia, heresia.

ROTHMANN
Aproximai-vos, irmãos, comunguemos no pão e no vinho.

CORO DE CATÓLICOS
Só na hóstia consagrada está o corpo de Cristo.

ROTHMANN
O Senhor partiu o pão e disse: Tomai, isto é o meu corpo.
Tomou depois o cálice e disse: Isto é o meu sangue, sangue da aliança, que vai ser derramado por muitos.
E eu digo: Aqui está o pão, aqui está o vinho, aqui estão, pois, o corpo e o sangue de Cristo.

CORO DE CATÓLICOS
Heresia, heresia.

(Da Catedral saem sacerdotes católicos acompanhados de fiéis. Trazem os cálices e as hóstias.)

Coro de eclesiásticos
 Este é o pão da comunhão, criado e amassado na terra para ser o recetáculo do céu.
 Vinde, católicos, recebei sobre a vossa língua o corpo sublimado de Cristo.
 Que esta hóstia se derreta contra o vosso palato e percorra todos os caminhos do sangue até se confundir com a vossa alma.

Rothmann
 Este pão que parto é o corpo de Cristo, este vinho que sobre ele derramo é o Seu sangue.
 Pois esta é a única e verdadeira e solene eucaristia, que o Senhor celebrou com os discípulos na última Ceia.
 Vinde, protestantes, vinde todos, comei do corpo de Cristo, bebei do Seu sangue, tornai-vos em discípulos do Senhor.

(Católicos e protestantes radicais, de um lado e do outro, comungam das duas diferentes maneiras. Os protestantes conservadores hesitam, mas, ainda que não comungando, tendem a aproximar-se dos católicos.)

Knipperdollinck *(Dirigindo-se a Von der Wieck.)*
 Dizeis-vos luteranos, dizeis-vos protestantes, mas agora vejo que o vosso interesse e gosto se inclinam mais para os católicos.
 Temei o castigo do Senhor se nos traírdes em atos, como já nos está traindo o vosso pensamento.

Coro de radicais
 Somos os discípulos do Senhor, às nossas mãos foi

entregue, a partir de hoje, o poder de pesar, contar e dividir.
Tomai, pois, nota.
A ira do Senhor será a nossa ira, e em Seu nome julgaremos.

CORO DE CONSERVADORES
Tanta presunção vos matará, tanto orgulho vos dará segunda e eterna morte.

CORO DE CATÓLICOS
Uni-vos a nós, contra esses que querem a destruição da Igreja de Cristo.
Expulsemos da cidade os prevaricadores, os insolentes, os temerários que pecam contra a palavra do Senhor.

CORO DE CATÓLICOS E CONSERVADORES
Fora, fora.

ROTHMANN
Se quereis a guerra, agora mesmo a tereis.

(*Surgem armas nas mãos dos dois grupos. O enfrentamento parece estar prestes a resultar em conflito quando, saindo da multidão, uma mulher se apresenta, trazendo um filho ao colo.*)

MULHER
Guardai as espadas, todos vós, que venho a batizar o meu filho.
Porque sobre a sua frágil e delicada cabeça não é o sangue que deve correr, mas a água.

Tardará ainda muito, para ele, o tempo do pão e do vinho, a sua boca ainda sabe ao leite que do meu peito mamou, o cheiro do seu corpo não é diferente do meu próprio cheiro.
Batiza-o (*Dirige-se a Rothmann.*) e será como se novamente me batizassem a mim.

ROTHMANN
Batizar-te-ia a ti, se a tua fé merecesse tanto, mas ao teu filho, não.

MULHER
Porquê?

ROTHMANN
Porque uma criança não tem entendimento nem fé.

MULHER
De memória minha, de memória de meus pais e avós, sempre as crianças foram batizadas.

ROTHMANN
Com a minha recusa começará uma memória nova.
Tudo quanto aprendemos será apagado, o nosso espírito tornar-se-á em página branca onde a mão de Deus escreverá o Seu nome, aquele que nunca poderemos ler,
Mas que levaremos dentro de nós como a presença viva do Senhor.

MULHER
Batiza o meu filho para que não morra.

Rothmann
Não.

Mulher
Porquê?

Rothmann
O batismo é um banho de água que o catecúmeno deseja e recebe como sinal verdadeiro de que morreu para o pecado, De que foi sepultado com Cristo e de que ressuscita para uma nova vida,
Para caminhar, daí em diante, não nos prazeres da carne, mas sim na obediência à vontade de Deus.
(*Noutro tom*) Achas que podemos esperar que o teu filho, aí onde está, no teu colo, manifeste estas ou semelhantes disposições?

Mulher
Não, não podemos.

Coro de católicos
Vem para este lado, mulher.
Batizaremos o teu filho como tu própria: foste batizada, a tua fé nos basta,
Tal como aos nossos antecessores bastou a dos teus pais quando, poucos dias depois de nascida, te levaram à igreja.
Vem para este lado e o teu filho não morrerá.

Mulher
Que devo fazer? Meus pais foram católicos, eu não o sou.
A quem entregarei o meu filho para que não morra?

CORO DE LUTERANOS
Vem para este lado, mulher, esta é a tua fé escolhida, aquela a que deves obediência.
Batizaremos o teu filho e ele gozará da vida eterna.

MULHER (*Para Rothmann*)
Batizas o meu filho?

ROTHMANN
Não estamos num mercado em que se rebaixem os preços nem num leilão em que se subam.
Só o Senhor sabe o que quer do teu filho.
Nós não o quereremos enquanto não for ele a querer o Senhor.

(*Saem todos os radicais, com eles retiram-se Knipperdollinck e Rothmann. Ficam os católicos e os luteranos conservadores.*)

CORO DE CATÓLICOS (*Para a mulher*)
Vem e traz o teu filho.

MULHER
Se o meu filho tiver de ir a vós, por seu pé é que há de ir, não que eu o leve.
A minha fé não está na vossa Igreja, como poderiam os meus próprios passos levá-lo a ela?

(*Os católicos retiram-se, irritados.*)

CORO DE LUTERANOS
Tens-nos aqui a nós para batizar o teu filho.

MULHER
Não vos quero.

CORO DE LUTERANOS
Porquê?

MULHER
Porque ao dizer palavras que nunca tinha dito antes, aprendi o que antes não sabia.

CORO DE LUTERANOS
Quê?

MULHER
Que se também a vós o meu filho tiver de ir alguma vez, sejam os seus passos a levá-lo, não os meus.

CORO DE LUTERANOS
Teu filho nunca verá Deus se vier a morrer sem batismo.

MULHER
Deus vê-o a ele.
E muito maus teólogos sois vós se realmente pensais que Deus possa viver sem que O olhe uma só das Suas criaturas.

(Saem os luteranos, indignados. A mulher fica sozinha, com o filho nos braços. Lentamente, destapa a criança, como se quisesse que ela visse alguma coisa.)

SÉTIMO QUADRO

Multidão na praça. Hostilidade entre os diferentes grupos de católicos, luteranos e anabatistas. Agitação difusa.

CORO DE ANABATISTAS
 Como um lobo raivoso que rondasse as muralhas de Münster, mostrando as fauces venenosas e uivando ameaças terríveis,
 Eis que o bispo Waldeck se aproxima da cidade para tirar desforra da humilhação e vergar-nos à obediência da sua Igreja.
 Ai dele, ai dele, que imagina não ter em Münster mais adversário que as escassas forças humanas dos seus moradores.
 O Senhor fará das nossas mãos o instrumento da Sua divina justiça, e o gume das nossas armas desafogará a Sua cólera.
 Vem, pois, bispo Waldeck, bispo dos católicos, apressa-te a chegar aonde te espera a horrenda morte. (*Levantam as espadas.*)

CORO DE CATÓLICOS
 Como o vingador arcanjo que acorre, implacável, a executar a vontade de Deus, e já ergue a lança contra os sequazes do Demónio.
 Eis que Waldeck, nosso bispo e nosso príncipe, avança contra a cidade pestífera para cumprir a promessa. Livrar-nos da perversão e da heresia luterana em que vivemos, deste anabatismo duas vezes perverso e herético duas vezes.
 O Senhor fará das nossas mãos o instrumento da Sua divina justiça, e o gume das nossas armas desafogará a Sua cólera.

Vem, pois, bispo Waldeck, vem, e dá, a quem oprimidos nos tem, merecida e horrenda morte. (*Levantam as espadas.*)

CORO DE LUTERANOS

Como a nuvem plúmbea que do horizonte cresce, trazendo no negro ventre todas as tempestades do céu,

Eis que o bispo Waldeck se aproxima da cidade para tirar desforra da humilhação e vergar-nos à obediência da sua Igreja.

Temamos a sua fúria, mas, tal como a nuvem depois de descarregar os terríveis coriscos derrama sobre a terra a chuva benfazeja,

Queira o Senhor que pela porta da guerra entre a paz em Münster, que nós, com estas armas, defenderemos a Sua vontade.

Vem, pois, bispo Waldeck, e dá, se Deus o quer, a quem o mereça, horrenda morte. (*Levantam as espadas.*)

CORO GERAL

Vem, bispo Waldeck, vem.
Armas, armas, armas, horrenda morte.

(*Sendo idênticas as palavras, deve tornar-se clara a expressão com que são pronunciadas: ódio dos anabatistas, esperança dos católicos, ambiguidade dos luteranos.*)

VON DER WIECK

Ó Münster, ó infeliz cidade, que desgraças trará o dia de amanhã aos teus divididos filhos,

(*Atravessa a praça um grupo de habitantes levando os seus haveres às costas.*)

Quando o medo do futuro faz partir, em dolorosas caravanas, abandonando casas e mesteres, tantos dos teus moradores.

A tal chegámos, a tal nos reduziram a intolerância dos católicos e os excessos dos anabatistas.

E agora, pelas culpas de uns e outros todos pagaremos, mesmo aqueles que, como nós, luteranos, só a paz querem e recusam reformas radicais.

CORO GERAL

Vem, bispo Waldeck, vem.
Armas, armas, armas, horrenda morte.

KNIPPERDOLLINCK

Não uma, mas duas serpentes se enroscam, rastejam e assobiam nesta cidade de Münster.

Demasiado bem conhecíamos as perfídias e as manhas da serpente católica.

Agora sabemos que outra serpente, maligna vivia dentro da nossa própria casa e comia à nossa mesa.

Ei-la, nua e sem disfarce, a cobardia destes luteranos, dispostos a trair Deus para proteger a sua mesquinha vida.

VON DER WIECK

Não abuses das minhas palavras, não falseies o meu pensamento.

KNIPPERDOLLINCK

O teu pensamento é ainda mais falso do que as tuas palavras.

Habitantes de Münster, o bispo Waldeck prepara-se para cercar a cidade e fazer-nos guerra.

Acreditais que este Conselho Municipal, com este síndico, nos defenderá?

VOZES
Não, não.

KNIPPERDOLLINCK
Não é antes de temer que nos entreguem ao primeiro assalto? Não se lê já na cara deles a vontade de capitular?

VOZES
Sim, sim.

KNIPPERDOLLINCK
Que faremos então?

VOZES DISPERSAS
Elejamos um Conselho Municipal capaz de defender-nos. Que sejam Knipperdollinck e Rothmann os novos síndicos. Nem tréguas nem perdão para os inimigos.

ROTHMANN
Quereis, verdadeiramente, que o poder passe às nossas mãos?

VOZES DISPERSAS
Sim, sim.

VON DER WIECK
Nós, luteranos, seremos candidatos à nova eleição, se o povo a reclama, e seremos fiéis aos nossos deveres de conselheiros,
Acatando a vossa autoridade em tudo quanto não for contra a nossa consciência.

KNIPPERDOLLINCK
Espero, para o bem de todos, que a vossa consciência possa estar sempre de acordo com a nossa autoridade. (*Risos*)

ROTHMANN
Silêncio, cidadãos de Münster, chegou agora o momento de vos comunicar uma notícia, a mais estupenda de todas.
Ao pé dela, as ameaças, os cercos e as guerras do bispo Waldeck não passam de vento, fumo e insignificância.
Sabei, então, que, neste mesmo instante, está entrando as portas da cidade, vindo da Holanda, o profeta dos anabatistas, Jan Matthys.
Que, tendo ouvido dizer que em Münster ensinamos que o batismo das crianças não está de acordo com a Bíblia, se determinou a vir até nós,
A esta santa cidade de Münster, onde o povo da Nova Aliança se multiplica, e onde já o último Dia está alvorecendo.
Aproxima-se a hora do regresso de Cristo Nosso Senhor, aproxima-se o Juízo Final.
Irmãos, preparai-vos.

(*Manifestam-se no céu fenómenos meteorológicos que são interpretados pela multidão como confirmação dos anúncios apocalípticos feitos por Rothmann. Uma exaltação religiosa apodera-se dos anabatistas, e mesmo dos protestantes luteranos. Assustados, os católicos acolhem-se à Catedral.*)

VOZES DISPERSAS
Os nossos olhos verão, enfim, Cristo.
Sejamos bons, puros, honestos, santos.
Preparemos os caminhos do Senhor.

(*Entram Jan Matthys, Jan Beukels van Leiden e a mulher deste, Gertrud von Utrecht, a que chamarão Divara. Acompanham-nos os que com eles viajaram desde a Holanda.*)

MATTHYS
    Salve Münster, cidade da esperança, morada da justiça de Deus.
    Das províncias da Holanda, onde tão cruelmente nos perseguem os que se negam a receber a mensagem de renascimento e restituição que é a nossa doutrina,
    Lá onde está sofrendo prisão e enxovalho o mestre de todos nós, o grande Melchior Hofmann,
    A ti viemos, Münster, para que a palavra de Deus, de que somos portadores e profetas, faça crescer dentro dos teus muros os mais perfeitos frutos, como foram os do paraíso.
    Quis a vontade do Senhor que entrássemos na cidade sãos e salvos e para isso nos abriu os últimos caminhos,

Ocultando-nos, como dentro de uma nuvem, pelo tempo necessário, aos olhos de Waldeck e dos seus soldados.

E agora, como demonstração benévola do Seu poder, para que pacificamente se Lhe rendam os céticos e inimigos, eis que cobre de luzes e movimentos, de sinais prodigiosos, o céu e a terra.

Em verdade te digo, Münster, que és, de todas as cidades do mundo, a mais feliz e afortunada, porque te escolheu o Senhor para seres a Nova Jerusalém dos Eleitos de Deus.

(Aplausos gerais)

ROTHMANN
Bem-vindo a Münster, Jan Matthys.

Com estas tantas vezes repetidas palavras, mandaria o uso que te acolhêssemos, se fosses, como um outro qualquer, visitante entre visitantes.

Mas, Münster, em verdade, não te recebe, tu és quem veio receber a Münster.

E, recebendo Münster, recebes-nos ao mesmo tempo a nós, que te esperávamos e não sabíamos que te esperávamos.

Já nos tens, Jan Matthys, e, porque enfim nos juntamos, ficou completa a figura do nosso destino comum, que hoje começa.

(Repetem-se as aclamações.)

KNIPPERDOLLINCK
Dá-me então as tuas boas-vindas, Jan Matthys.

MATTHYS
Sei quem és, Berndt Knipperdollinck, de ti, como de

Berndt Rothmann, me chegaram à Holanda notícias e fama.
Colunas da fé, tu e ele, sobre vós assentará o novo altar de Cristo, que em Münster, juntos, levantaremos. Mas, assim como tiveram de ser quatro os evangelistas, também quatro hão de ser as colunas que irão suportar o peso do pão e do vinho, o peso de Cristo. Eis-me, pois, aqui, que venho oferecer os meus ombros à parte que da carga me couber, seja ela, de todas, a mais pesada e dolorosa.
E eis, também, para connosco cumprir a vontade de Deus, este que veio comigo, Jan van Leiden, a quem batizei por minhas próprias mãos e fiz meu apóstolo.

Coro de mulheres (*Em surdina e aparte*)
Ó beleza sem par, ó mais formoso dos homens.
Que mulher afortunada partilhará o teu leito, que cabeça escolherias, entre as nossas, para lhe impores as tuas mãos e acariciares?

Gertrud von Utrecht (*Mesmo jogo*)
Olhai para este lado, mulheres de Münster.
Eu sou aquela que invejais, sou eu a que se deita na cama onde gostaríeis de dormir, meu é o homem que sem nenhum recato estais cobiçando.
Querereis, uma por uma, oferecer-vos a ele?

Jan van Leiden
Deus leva-nos, pela Sua mão, aonde quer.
Faz da criança imperfeita um homem acabado, transforma em força suprema a extrema debilidade.

E tal como deu a Seu filho, por pai terrestre, um simples carpinteiro, assim nos trouxe, a nós, dos baixos mesteres que antes exercíamos, à dignidade dos apóstolos.

Vede que Jan Matthys, espírito de profecia, anunciador do último tempo, foi padeiro em Haarlem.

E Jan van Leiden, se consentis que pronuncie aqui o seu insignificante nome, foi alfaiate ambulante, andou de terra em terra a cobrir os corpos dos homens,
Antes de compreender que só a despida alma deve cobri-los.

Rothmann
Os cegos não veem, os surdos não ouvem, mas aqueles que não ouvem dizem àqueles que não veem como o céu se move em todas as direções, e como as cores do arco-íris se multiplicam setenta vezes sete.

Enquanto dos olhos mortos dos cegos caem lágrimas vivíssimas que os surdos tocam com os dedos e levam à boca, dessa maneira entendendo o que os ouvidos não perceberam.

Cidadãos de Münster, fiéis do Espírito, irmãos em Nosso Senhor pelo Seu precioso sangue derramado, eis que demos o último passo nas veredas do mundo velho.

De par em par, já se abrem os portões do novo mundo, a ponta do nosso pé aproxima-se do limiar, a grande luz deslumbra-nos, porém não podemos entrar.

Coro geral
Porquê? Porquê?

Rothmann
Porque nos falta o batismo.

CORO GERAL
Batizai-nos, batizai-nos.

ROTHMANN, KNIPPERDOLLINCK
Batizai-nos, batizai-nos.

MATTHYS
Quem o pede, a vossa língua ou a vossa fé?

CORO GERAL
A fé, a fé.

MATTHYS
Trazei água.

(*Agitação. Trazem-se pequenas tinas de água. Os primeiros a receber o batismo são Rothmann e Knipperdollinck. A água é derramada sobre as cabeças. As cores do céu, até aqui diversas e cambiantes, mudam para um vermelho sanguíneo que se manterá fixo até ao fim do quadro.*)

MATTHYS (*Enquanto derrama a água*)
A graça e a paz de Deus Nosso Pai esteja contigo e com todos os homens de boa vontade.

(*Durante algum tempo sucedem-se os batismos. As pessoas colocam-se em fila para receberem o sacramento, administrado não apenas por Matthys mas também por Jan van Leiden, e logo por Rothmann. A alegria espalha-se, esboçam-se movimentos de dança.*)

CORO GERAL
A graça e a paz de Deus está comigo e com todos os homens de boa vontade.

(*Entra Jan Dusentschuer. Dirige-se a Matthys.*)

JAN DUSENTSCHUER
Tenho a fé, batiza-me também a mim. Mas, antes, vem ver o que ninguém se lembrou de te mostrar e que muito te importa conhecer, para que, isto sabendo, possas dizer que sabes tudo de Münster.

MATTHYS
Quem és? De que falas?

JAN DUSENTSCHUER
O meu nome é Jan Dusentschuer, e chamam-me "o profeta coxo".
Que coxo sou, um simples olhar o diz, que profeta seja, só teremos de esperar o dia em que todas as profecias se cumpram.
Entre elas hão de estar, com certeza, as minhas, pois nesse dia todas serão cumpridas, as verdadeiras e as falsas.

MATTHYS
Coxo és, e louco também, mas de profeta não tens nada.

JAN DUSENTSCHUER
Não são profetas apenas aqueles que anunciam o que há de ser, são-no também os que explicam o que é.

MATTHYS
Fala claro.

JAN DUSENTSCHUER
Falarei, mas tu não entenderás. Vem.

(*Aponta sucessivamente os cinco pilares em que assenta a fachada da Câmara Municipal.*)

JAN DUSENTSCHUER
Sabes tu, Matthys, como chamamos nós, os de Münster, ao pilar da direita e ao pilar da esquerda?

MATTHYS
Não.

JAN DUSENTSCHUER
De um, dizemos que é a Palavra de Deus, do outro, que é a Firmeza da Fé.
E o nome do pilar do meio, sabe-lo, Matthys?

MATTHYS
Como poderei sabê-lo, se nunca estive em Münster?

JAN DUSENTSCHUER
Esse nome é Cristo, e Cristo sempre esteve onde tu estiveste.

MATTHYS
Cristo?

CORO GERAL
Cristo!

JAN DUSENTSCHUER
E sabes como se chama aquele outro pilar, o que está entre Cristo é a Firmeza da Fé?

MATTHYS
Por que continuas a fazer-me perguntas a que não sei responder?

JAN DUSENTSCHUER
Troquemos então os papéis.
Faz tu as perguntas e eu dar-te-ei as respostas.

MATTHYS
Que nome dais ao pilar que está entre Cristo e a Firmeza da Fé?

JAN DUSENTSCHUER
Diabo.

MATTHYS
Diabo?

CORO GERAL
Diabo!

MATTHYS
E o outro, o que está entre Cristo e a Palavra de Deus?

CORO GERAL
   Morte!

MATTHYS
   Morte?

JAN DUSENTSCHUER
   Sim, Morte.
   E agora que já sabes tudo de Münster, batiza-me.

FIM DO PRIMEIRO ATO

Segundo ato

PRIMEIRO QUADRO

Tempo frio, prenunciando neve. O cerco da cidade começou. O ambiente é sombrio, carregado de inquietação. Passam grupos armados, de homens e mulheres, que vão defender as muralhas.

CORO GERAL
Assim como, na batalha celeste, naquela que foi a primeira de todas as guerras, os anjos do Senhor lutaram contra os demónios de Lúcifer e os venceram,
Assim nós, os eleitos de Deus, pelejaremos e defenderemos Münster dos diabólicos assaltos de Waldeck e do seu Lúcifer, o papa.
Mas se Deus, no princípio do mundo, para que o homem, ser mortal, pudesse ficar sujeito à tentação, não quis que o Mal fosse exterminado,

Agora, porque o fim dos tempos é chegado, quer o Senhor a destruição definitiva de quantos se oponham à Sua vontade.

A fim de que a terra fique limpa de pecado e somente os justos nela vivam quando Cristo voltar.

As mãos que empunham as nossas espadas e disparam os nossos canhões são as mãos dos anjos, não as nossas.

Pois esta é a última batalha de Deus, e Ele concedeu-nos a Sua força.

(Saem todos, com exceção de Matthys, Knipperdollinck, Jan van Leiden e Rothmann.)

MATTHYS

Haveis ouvido o que eles disseram: Esta é a última batalha de Deus, e Ele concedeu-nos a Sua força.

Mas, sendo ela, a força de Deus, infinita, falta-nos ver que parcela desse poder infinito serão as vontades humanas capazes de tomar, para depois a pormos ao serviço da Sua causa.

Deus precisa saber até onde, em fé e coragem, podem chegar os Seus eleitos.

Não vá dar-se ainda o caso de ter de cuspir alguns deles da Sua boca.

ROTHMANN

Que queres dizer?

Estamos em Deus e com Deus, os nossos corpos e as nossas almas pertencem-Lhe, não temos outra vontade que não seja a Sua.

Somos a Sua língua e o Seu palato, e é com os Seus dentes que morderemos e degolaremos os Seus inimigos.

Knipperdollinck (*A Matthys*)
Deus não te trouxe a Münster para que salvasses a cidade, mas para que te salvasses nela.
Lembra-te das palavras que tu próprio disseste acerca das quatro colunas em que assentará o novo altar de Cristo. As duas que de fora nos vieram, tu e Jan van Leiden, seriam nada sem as outras que a vontade de Deus já tinha suscitado aqui.
Não venhas agora lançar dúvidas sobre aqueles em quem o Senhor pôs a Sua confiança.

Jan van Leiden
Ambos haveis entendido mal as preocupações de Matthys, pois eu sei, de muito seguro saber, como seu principal discípulo e apóstolo, que de vós não pensa senão bem.
O que ele teme é que os laços de parentesco, as relações de amizade e de vizinhança, todos os hábitos duma vida,
Possam vir a confundir o vosso juízo e enfraquecer o vosso braço quando chegar a hora de marcar, cortar e lançar fora as ervas más de Münster.

Rothmann
Não te ordeno que nos ponhas à prova, Jan Matthys, porque só Deus, extremamente, o pode fazer.
Porém, se realmente é Sua vontade seres tu o instrumento que medirá a nossa firmeza, diz-nos já o que quer Deus que façamos.
Mas mudo te torne Ele neste mesmo instante, se para o erro e o engano usares o dom da profecia que te outorgou.

MATTHYS

Deus não pode enganar-se a si mesmo, por isso não sereis vós enganados quando Ele pela minha boca falar.
Que a língua me caia no chão e aí se retorça como a serpente que enganou Eva e a fez depois enganar Adão, se o que vos disser não for verdadeiro e justo.

KNIPPERDOLLINCK

Basta de rodeios, fala.

MATTHYS

Eis o que Deus quer: Que mortos sejam, imediatamente, quantos em Münster se negarem a abraçar a aliança do batismo.
Porque Deus quis fazer aliança com eles, mas eles não O quiseram receber.
Se somos filhos de Deus e fomos batizados em Cristo, então todo o mal deve desaparecer de entre nós.
Lembrai-vos do que disse o profeta: "Todos os pecadores do meu povo morrerão à espada."

JAN VAN LEIDEN

O Senhor não te emudeceu, o Senhor não te fez saltar a língua, o Senhor falou pela tua boca.
(*Para Rotthmann e Knipperdollinck*) Que dizeis depois disto?

ROTHMANN

Digo que Deus restaurou a faculdade de querer o bem e o mal.
Digo que a salvação está na decisão de querer ser batizado dentro da igreja disciplinada de Jesus Cristo.

Digo que, pelo livre arbítrio, qualquer pessoa pode tornar seu o dom de Deus, submeter-se ao batismo e converter-se verdadeiramente em membro da igreja de Cristo.

Jan van Leiden
Muito bem.

Rothmann
Mas também digo que deveremos ter em conta as circunstâncias, para nada empreendermos demasiado cedo nem demasiado tarde.

Matthys
Os inimigos do Senhor não são só aqueles que nos sitiam as muralhas e as tentam romper.
Os inimigos do Senhor vivem também ao lado das nossas casas e quem sabe se dentro delas.
Que queremos ser então, cavaleiros puros de Deus, ou servos abomináveis do Diabo?

Rothmann
Somos os quatro pilares do altar de Cristo.

Knipperdollinck
Não o somos ainda, porque não creio que alguém possa levar sobre si o peso de Cristo se antes não tiver sofrido tudo por Ele, e nós ainda mal estamos no princípio.
Escutai a minha proposta.
Se agora chegasse notícia de que Waldeck tinha levantado o cerco e se retirava com as suas tropas, que faríamos?

Correríamos às muralhas, em festa, e deixá-los-íamos ir, com a sua impiedade e a sua vergonha.

Façamos o mesmo com estes inimigos que temos dentro da cidade, ordenemos-lhes que saiam dela agora mesmo, e se, depois de intimados a partir, teimarem em ficar, então, sim, matemo-los sem hesitação, por desobediência.

JAN VAN LEIDEN

Melhor seria acabar com eles sem mais avisos.

Afinal, o Senhor chamou-os e eles taparam os ouvidos, estendeu-lhes a Sua mão e eles cuspiram Nela.

Se permitirmos que se retirem, Münster ficará limpa da peste, mas o mal irá daqui para continuar a infetar o mundo.

Se Deus falou pela boca de Matthys, quem sois vós para O pretenderdes contrariar?

KNIPPERDOLLINCK

Nada e menos que nada, e eu menos que todos.

Porém, lembro-te que se a morte dos católicos acirraria, ainda mais, contra a cidade, a fúria de Waldeck,

A morte dos protestantes que se recusam a repetir o batismo deixar-nos-ia desamparados do auxílio que os luteranos devem uns aos outros.

ROTHMANN

Job, a quem o Senhor afligira, disse: "Vou interrogar-Te e Tu responder-me-ás."

É lícito, pois, fazer perguntas a Deus, mesmo quando pareça que Ele já exprimiu a Sua vontade.

Pergunte então Matthys ao Senhor se Knipperdollinck falou com retidão e se o que propõe é do Seu agrado.

MATTHYS
Também está escrito: "Não tentarás o Senhor teu Deus." Porém, tal como o carpinteiro não talha uma perna de mesa que não esteja conforme com as restantes, Também eu, coluna do altar de Cristo como vós, me conformarei com a expressão do vosso querer.

JAN VAN LEIDEN
Morte, já.

ROTHMANN
Morte, sim, e já, se o Senhor novamente o ordenar.

MATTHYS
E tu, Knipperdollinck?

KNIPPERDOLLINCK
Queira-o de facto Deus, e a minha espada já estará cortando antes que as vossas saiam das bainhas.

(*Matthys afasta-se a um lado e, olhando para o alto, com os braços meio levantados, procede como se aguardasse a comunicação divina. As atitudes dos outros são distintas: dúvida em Knipperdollinck, impaciência em Rothmann, expectativa irónica em Jan van Leiden. Ao fundo aparece Gertrud von Utrecht.*)

MATTHYS
O Senhor deteve no ar a mão da Sua justiça e a Sua voz disse: "Apressai-vos porque o tempo do sangue é chegado, já se ouve a lâmina do cutelo rangendo na pedra de amolar, o

terror faz correr os animais condenados, mas o Meu braço os alcançará onde quer que se acolham, nem antes nem depois da hora marcada por Mim no princípio dos tempos."

KNIPPERDOLLINCK
Isso disse o Senhor?

MATTHYS
Sim.

KNIPPERDOLLINCK
Como deveremos interpretá-lo? A hora é chegada, ou ainda não?

ROTHMANN
Se o Senhor quisesse que morressem os que até agora têm recusado o batismo, teria dito uma só palavra: "Matem--nos já."
Não o entendes assim, Jan van Leiden?

JAN VAN LEIDEN
O costume é dizermos que o Senhor fala pela boca dos profetas quando os profetas dizem que o Senhor falou pelas suas bocas.

MATTHYS
De quem duvidas? Da profecia, ou do profeta?

JAN VAN LEIDEN
Nem de um nem de outro, sendo tu o profeta e tua a profecia.

Apenas vos lembro que, tirando a vinda de Cristo ao mundo, que só Deus decidiu, sempre foi no relógio dos homens que soou a hora marcada pelo Senhor. E que bem pode ser que vos enganeis se pensais que ainda não é chegado o tempo de matar.

GERTRUD VON UTRECHT (*Adiantando-se.*)
Se Deus quer que o sangue corra em Münster, saberá encontrar a maneira de nos dar a conhecer a Sua vontade sem necessidade de intermediários.
Não viemos, Jan, meu marido, da Holanda aqui, para seres um anunciador da morte.

JAN VAN LEIDEN
Não apenas um anunciador da morte, se é preciso, mas também o seu executor.
E tu, mulher, não te intrometas no que é pertença daqueles a quem o Senhor chamou para serem os Seus anjos de justiça.

GERTRUD VON UTRECHT
Conheço-te como homem, não como anjo.

JAN VAN LEIDEN
Conhecer-me-ás como aquilo que, em cada momento, eu te diga que sou.

GERTRUD VON UTRECHT
Não te cansarás a dizer-mo, pois não te verei nunca senão como o que realmente és, filho de Deus que te concedeu a vida e vivo te mantém,

Portanto em tudo igual a mim, que filha sou também de Deus.

JAN VAN LEIDEN
Retira-te.

GERTRUD VON UTRECHT
Ir-me-ei quando tiveres retirado a condenação à morte que ouvi da tua boca.
Lembra-te que a morte sempre atraiu a morte.
Não seja o caso que a chames para matar os que consideras teus inimigos e ela venha por ti.

MATTHYS (*Para Jan van Leiden*)
Consentes que uma mulher, a tua própria, desprezando os seus deveres de casada, incluindo o dever de obediência, te fale com atrevimento?

JAN VAN LEIDEN
Guarda as tuas perguntas para Deus, se te as ouve, como eu guardo para Ele as minhas respostas.

(*A Gertrud*) Só os inimigos do Senhor são inimigos meus, e eles e eu receberemos a morte quando o Senhor quiser, que ela é ao Seu serviço que está e não ao meu.

(*Aos outros*) Que vamos fazer, se poupamos a vida aos "sem Deus" que há em Münster?

ROTHMANN, KNIPPERDOLLINCK
Expulsemo-los a todos da cidade, tanto aos católicos que ainda restam como aos protestantes que se recusaram a deixar-se rebatizar.

GERTRUD VON UTRECHT
   Quereis matá-los doutra maneira.
   Olhai como o céu se está carregando cada vez mais e já a neve começa a cair.
   Antes que esses desgraçados possam encontrar um abrigo, cairão gelados, se logo os não degolarem, às portas da cidade, os soldados de Waldeck.

MATTHYS
   Em nome de Deus, mulher, ordeno-te que te cales.
   Não provoques a minha ira, ou terei eu de usar, para puni-te, a autoridade que a lei divina e a lei humana outorgaram a teu marido.

JAN VAN LEIDEN
   Retira-te, Gertrud, obedece-me.
   E tu, Jan Matthys, não te esqueças de que os profetas só são úteis a Deus enquanto as suas línguas estão vivas.

MATTHYS
   Ameaças-me?

JAN VAN LEIDEN
   Não, só digo que a voz do Senhor continuaria a ouvir-se em Münster mesmo se a língua te fosse cortada.

MATTHYS (*Furioso*)
   Não me ameaças em vão, Jan van Leiden, voltaremos a falar de línguas e de espadas, de mortes e de palavras.
   Mas primeiro é preciso limpar esta cidade dos ímpios católicos e dos luteranos rebeldes.

(*Gritando.*) A mim, anabatistas! Juntai na praça quantos, papistas ou protestantes, recusaram o batismo novo, e expulsemo-los como a cães danados,
 Antes que a ira de Deus desça do céu e os queime a todos, e também a nós por nos mostrarmos compassivos e tolerantes.
 (*Olhando para o alto.*) Senhor, Senhor, se é essa a Tua vontade, vem e destrói-nos a todos, faz depois a Tua escolha, que os corpos já damos por perdidos, pois que Tu só as almas queres, para as receber ou desprezar.

(*Começa a juntar-se gente. Medo, lágrimas, confusão.*)

MATTHYS
 Lançai-os fora, lançai-os fora!

GERTRUD VON UTRECHT (*Indo do marido para Rothmann e Knipperdollinck.*)
 Salva-os, salva-os, olha esses velhos, olha essas crianças. (*Os dois homens, sucessivamente, retraem-se e recuam, em silêncio.*)

(*A multidão começa a ser empurrada para fora da praça. A neve cai agora em turbilhões.
O quadro é desolador.*)

HUBERT RUESCHER (*Saindo da multidão.*)
 Jan Matthys, és um embusteiro.

MATTHYS
 Que disseste?

HUBERT RUESCHER
Que és um embusteiro, um falso profeta.
Deus, de certeza, preferiria ser mudo toda a eternidade
se pela tua boca é que tivesse de falar.

MATTHYS (*Para Knipperdollinck*)
Quem é este?

KNIPPERDOLLINCK
Hubert Ruescher, ferreiro.

MATTHYS
Pois que morra já aqui o mentiroso, o sacrílego, o inimigo de Deus.

(*Matthys puxa de um punhal e crava-o em Hubert Ruescher, que cai morto. Estupefação geral.*)

MATTHYS
Moisés disse: "O Senhor Deus suscitar-vos-á um profeta como eu dentre os vossos irmãos.
Escutá-lo-eis em tudo quanto vos disser.
Quem não escutar esse profeta será exterminado no meio do povo."

(*Knipperdollinck e Rothmann entreolham-se indecisos, Gertrud von Utrecht mostra-se horrorizada, Jan van Leiden aproxima-se do cadáver e toca-lhe com o pé, como para se assegurar de que o ferreiro está morto. A neve continua a cair. No meio de gritos e lamentações, os habitantes expulsos são levados para fora.*)

Segundo quadro

CORO GERAL
Toda a alma piedosa beberá do cálice da amargura o vinho vermelho e puro, mas Deus fará com que sejam os ímpios a apurar as fezes.
E eles vomitarão, e arrotarão, e cairão na morte sem fim.
Escuta, amado cristão.
Conserva-te firme, propaga a honra de Deus.
Prepara-te todo o tempo para morreres.

JAN DUSENTSCHUER
Estais firmes?

CORO GERAL
Sim.

JAN DUSENTSCHUER
Para quê?

CORO GERAL
Para propagar a honra de Deus.

JAN DUSENTSCHUER
Estais preparados?

CORO GERAL
Sim.

JAN DUSENTSCHUER
Para quê?

CORO GERAL
Para morrer.

JAN DUSENTSCHUER
Então também vós haveis de beber até às fezes o cálice da amargura.
E apenas vos distinguireis dos vossos inimigos porque no paraíso do Senhor, onde a eternidade vos espera, não está permitido vomitar nem arrotar.
De arrotos e vómitos, sim, vos fartaríeis no inferno se lá caísseis.
Sinal de que teríeis esquecido a lição que os pilares da Câmara proclamam.
Cristo, só, é nossa salvação, porque se colocou entre a Morte e o Diabo, e assim os separou.
Onde Cristo não estiver, a Morte dará a mão ao Diabo.

(*Entram, no meio de aclamações, Matthys, Rothmann, Knipperdollinck e Jan van Leiden.*)

MATTHYS
Eis a vontade do Senhor.
Que o povo eleito viva em Münster como em Jerusalém viveram os primeiros cristãos.
Que as portas das casas, tanto de dia como de noite, permaneçam abertas de par em par.
Que os bens de cada um sejam os bens de todos e ninguém mais ouse dizer: "Isto é meu."
Que todas as dívidas sejam perdoadas e esquecidas.
Que se acabe o dinheiro, que se confisquem as moedas.
Porque aos olhos de Deus não há avesso nem direito, nem alto nem baixo, nem perto nem longe.

Porque o mais rico dos homens é um mendigo diante do Senhor, e um pobre de pedir o Seu tesoureiro. Irmãos, esta é a palavra do Senhor: "Não tenhais outra medida para medir-vos senão a minha."

JAN VAN LEIDEN
Sabeis vós, irmãos, donde saiu o dinheiro? Das tripas do Diabo. Isso que trazeis nas bolsas e guardais nas arcas é o excremento do Maligno.
Esvaziai, pois, arcas e bolsas, os cofres e os mealheiros, livrai-vos do fedor infernal,
Para que as vossas mãos se tornem brancas e perfumadas como o maná que Deus fez chover sobre os israelitas no deserto.

(*Jan van Leiden tira a capa, fazendo-a rodopiar, e estende-a no chão. Tomados de frenesi religioso, os habitantes começam a lançar para cima dela o dinheiro que trazem consigo. Esvaziam as bolsas, e há quem, das janelas das casas, despeje cofres e arcas.*)

JAN VAN LEIDEN
Purificai-vos, purificai-vos.

CORO GERAL
Para que as nossas mãos se tornem brancas e perfumadas como o maná que Deus fez chover sobre os israelitas no deserto.

KNIPPERDOLLINCK
Julgais que é bastante?

Que, tendo assim renunciado ao dinheiro e à sua malícia, haveis feito tudo aquilo a que, como filhos de Deus, estais obrigados?

Eu olho-vos e vejo-vos divididos em credores e devedores, e se é certo que da riqueza de uns e da pobreza de outros se formou esse monte de moedas, Também é certo que os títulos de dívida, cepo de quem deve, machado de quem emprestou, são como sentenças de morte suspensas, à espera do seu dia.

Queimai, pois, esses papéis malditos, se aspirais a ser donos da maior riqueza do céu e da terra, que é a pobreza de Cristo.

(*Acende-se uma fogueira onde começam a ser queimadas as declarações de dívida, algumas delas lançadas também das janelas.*)

KNIPPERDOLLINCK

Queimai, queimai, que nunca, desde Adão, os homens atearam tão santo lume.

CORO GERAL

Seremos donos da maior riqueza do céu e da terra, que é a pobreza de Cristo.

ROTHMANN

Eis a palavra do Senhor no sermão da Montanha: "Não vos preocupeis, dizendo: Que comeremos nós, que beberemos, ou que vestiremos?

Os pagãos, sim, afadigam-se com tais coisas; porém, o vosso Pai Celeste bem sabe que tendes necessidade de tudo isso.

Procurai primeiro o Seu reino e a Sua justiça, e tudo o mais se vos dará por acréscimo. Não vos inquieteis, portanto, com o dia de amanhã, pois o dia de amanhã já terá as suas preocupações. Bem basta a cada dia o seu trabalho."

CORO GERAL
Louvado seja o Senhor.

ROTHMANN
Irmãos, agora que se estão consumando nesta santa cidade de Münster o tempo, os tempos e a metade do tempo de que falou o profeta Daniel, recebei por inteiro a palavra do Senhor.
Olhai que Jesus não nos disse: "Tudo quanto precisares para comer, beber e cobrir o corpo, eu to venderei."
Jesus disse: "Procura o Meu reino e a Minha justiça, e tudo o mais te darei por acréscimo."
Chegou pois a hora de dizermos ao Senhor: "Senhor, haveis visto como renunciámos ao nosso, é a Vossa vez, agora, de nos dardes o Vosso."

JAN DUSENTSCHUER
Mas o Senhor pôs as Suas condições.

ROTHMANN
Quais?

JAN DUSENTSCHUER
Que procuremos o Seu reino.

MATTHYS
Procuramo-lo todos os dias.

JAN DUSENTSCHUER
Que procuremos a Sua justiça.

ROTHMANN
Não se chega ao reino de Deus senão pela Sua justiça.

MATTHYS
Queres tu dizer, Jan Dusentschuer, que em Münster não procuramos a justiça do Senhor?

JAN DUSENTSCHUER
Decerto não sempre, com certeza não em tudo.

KNIPPERDOLLINCK
Combatemos das nossas muralhas o exército de Waldeck.

JAN VAN LEIDEN
Expulsámos os católicos, expulsámos os protestantes que não quiseram batizar-se.

JAN DUSENTSCHUER
Porém, não varremos o rasto envenenado que atrás deles ficou, os seus livros, as suas imagens, as suas figuras.

MATTHYS
Vi mexerem-se os teus lábios, mas não ouvi o que disseste.

Porque nesse instante as minhas orelhas estavam cheias da voz do Senhor que me dizia: "Matthys, queima todos os livros que encontrares na Minha cidade, para que, nela, só a Minha palavra possa ser lida e escutada. Eu sou o Senhor."

Irmãos, executemos a ordem de Deus, atiçemos o lume em que arderam as nossas dívidas e queimemos esses livros infames que faziam de nós, sem o sabermos, servos e devedores do Diabo.

JAN DUSENTSCHUER
    E as pinturas? E as estátuas?

MATTHYS
    Usai o fogo, usai o machado, usai o martelo, que não reste uma só palavra mentirosa, um só fingimento de pedra, um só engano pintado.
    Na casa de Deus só pode haver lugar para Deus.

> *(Furor, delírio, iconoclasmo. A praça transforma-se num lugar de loucura.)*

TERCEIRO QUADRO

*Matthys e Jan van Leiden na praça.
Depois entrará Jan Dusentschuer.*

MATTHYS
    Quando, no meio da noite, acordas sem saber porquê e ficas de olhos abertos à espera de um sono que não voltará,
    O silêncio e a escuridão, se a tua fé desfalece, povoam-se

de medos mortais, e tu és como uma criança perdida na floresta e rodeada de lobos.

Mas, se não foste deixado pelo Senhor, o silêncio torna--se na Sua voz e a escuridão na página obscura do Livro onde o Seu dedo escreve, a branco, o Seu sinal.

Então levantas-te, como se levantou Lázaro à ordem do Senhor, porque também o homem vivo é um cadáver enquanto Deus não vem para lhe dizer: "Levanta-te e caminha."

Levantaste-te e abriste a tua janela, não sentiste o ar frio que te cortava a pele, porque estavas olhando o céu e as estrelas.

E quando os teus olhos desceram para a terra, viste, para lá das muralhas da cidade, as fogueiras do exército de Waldeck.

E ouviste outra vez Deus que te dizia: "Levanta-te e caminha."

JAN VAN LEIDEN
Tiveste um sonho, Matthys.

MATTHYS
O que para os homens comuns é sonho comum, Jan van Leiden, é inspiração de Deus para os profetas.

JAN VAN LEIDEN
Como interpretas, então, a ordem do Senhor?

MATTHYS
O Senhor quis que eu abrisse a janela.

JAN VAN LEIDEN
Para que olhasses as estrelas no céu e adorasses a Sua grandeza.

MATTHYS
Sim, mas também para que pudesse ver as fogueiras do exército de Waldeck.

JAN VAN LEIDEN
Não compreendo.

MATTHYS
O Senhor mostrou-me as fogueiras dos católicos e só depois ordenou: "Levanta-te e caminha."

JAN VAN LEIDEN (*Impaciente*)
Já sei, já o disseste antes.

MATTHYS
Apenas julgas que sabes.
Mas eu, sim, sei que a ordem do Senhor, parecendo a mesma, é outra.
Enquanto estivermos no mundo, Deus só nos falará com as palavras que disse no mundo.
Porque às palavras novas de Deus não as poderemos ouvir enquanto não formos recebidos no Seu paraíso.
E é por isso que temos de procurar e achar nas palavras antigas do Senhor os novos sentidos da Sua vontade.

JAN VAN LEIDEN
Que novos sentidos, que vontade?

MATTHYS
"Levanta-te e combate", eis o que o Senhor quis que eu ouvisse.

"Porque não poderão nunca ser eleitos Meus os que, sem resposta, permitem o insulto de um cerco à Minha morada."

Devemos, pois, reunir e fazer sair os nossos soldados e, em campo aberto, travar batalha contra os católicos.

Deus já está connosco, mas, por esta ação, que Ele próprio nos ordena, obrigá-Lo-emos a pronunciar o Seu último Juízo.

JAN VAN LEIDEN
Crês que é essa a vontade do Senhor?

MATTHYS
E tu, duvidas?

JAN VAN LEIDEN (*Cautelosamente*)
Ninguém, em Münster, está mais perto de Deus do que tu.

MATTHYS
O Senhor exalta a quem quer, para os fins que quer e durante o tempo que quer.

Nós somos, ao mesmo tempo, a seara do Senhor e a foice com que Ele nos ceifa.

Eis que hoje sou o Seu profeta, quem sabe se amanhã não serei o Seu capacho.

JAN VAN LEIDEN (*Tom reflexivo, insinuante*)
Sem dúvida, é vontade claríssima do Senhor que de Münster saiamos a dar definitiva batalha aos soldados de Waldeck.

Mas repara, Matthys, que Ele não disse: "Levantai-vos e caminhai", como seria o próprio se fosse Seu desejo que saíssemos, todos juntos, a lutar contra os papistas.

A Sua palavra foi clara e imperiosa: "Levanta-te", disse Ele, e a ti o disse, "Caminha", e era a ti que falava.

MATTHYS
Assim é, mas um só homem não pode vencer um exército inteiro.

JAN VAN LEIDEN
Sim, se Deus o quer.
Recorda o que tu próprio disseste: que este é o momento de obrigar Deus a pronunciar o Seu último Juízo.

Vençam Deus e tu esta batalha, e muitas dores e sofrimentos poderão ser poupados a Münster.

E tu não tens por que ir sozinho à luta, pois todo o capitão dispõe da sua escolta e todos por igual combatem.

Tendo, desta vez, por invencível general, o Senhor dos Exércitos.

MATTHYS
Deus iluminou o teu espírito e mostrou-me o que, por humildade, o meu não tinha sabido compreender.

Agora mesmo vou reunir alguns soldados e com eles farei a surtida derradeira e fulminante que libertará a cidade.

Como um raio desferido pela irada mão do Senhor, reduziremos a pó e a cinza o poder de Waldeck.

Tal como a cinza e pó reduzimos os livros e as imagens que ofendiam a palavra e a face do Senhor.

JAN VAN LEIDEN
Queres tu, Matthys, que convoquemos o povo aos parapeitos para que seja testemunha da tua glória?

MATTHYS
Ver-me-ão a mim os soldados que lá estiverem, não à minha glória, porque só a de Deus é glória verdadeira. O resto é nuvem que passa e fumo que se desvanece. Adeus, Jan van Leiden.

(Sai Matthys. Ouvem-se rumores de vozes e tinido de armas. Acompanhado de alguns soldados, Matthys afasta-se ao fundo.)

JAN VAN LEIDEN
Adeus, Jan Matthys.
Ainda não chegaste à porta da cidade e já o Senhor decidiu sobre a sorte da batalha a que te chamou.

E tão inescrutáveis são os Seus desígnios que Ele não deteria os teus passos, mesmo estando tu destinado a morrer no combate.

Porque assim como Deus quis tudo quanto sucedeu até hoje, assim o que ainda está por suceder é já efeito da Sua vontade.

Terrível engano o teu, Jan Matthys, terrível engano o de nós todos, se pensamos estar em nosso poder obrigá-Lo a pronunciar o Seu último Juízo.

Todos os juízos de Deus são definitivos, mas nenhum será último.

Que faria Deus depois dele?

Disseste: "Adeus, Jan van Leiden." Deus já sabe porquê.

(*Entra Jan Dusentschuer.*)

JAN DUSENTSCHUER
Aonde ia Matthys com aqueles soldados?

JAN VAN LEIDEN
Deus inspirou-o a fazer uma surtida.

JAN DUSENTSCHUER
Meia dúzia de homens contra um exército?

JAN VAN LEIDEN
Meia dúzia de homens e Deus.

JAN DUSENTSCHUER
Sem dúvida está Deus com o homem, e é por isso que dez mil homens têm dez mil vezes mais Deus num campo de batalha do que um homem sozinho.
Jan Matthys vai ao encontro da morte.

JAN VAN LEIDEN
Todos vamos.

JAN DUSENTSCHUER
Por que não lhe fizeste ver os perigos que ia correr?

JAN VAN LEIDEN
Deus tinha-lhe dito: "Levanta-te e caminha."
Quem era eu para dizer a Matthys "Não vás, senta-te"?
Quando o Senhor ordenou a Lázaro que se levantasse

do túmulo e andasse, Lázaro obedeceu-Lhe, e mais prendiam-no as ataduras da morte.

JAN DUSENTSCHUER
Começo a suspeitar, Jan van Leiden, que tu próprio terás ajudado Matthys a desprender-se das ataduras da vida.

JAN VAN LEIDEN
Não passará muito tempo antes de sabermos se era essa, afinal, a vontade de Deus.

JAN DUSENTSCHUER
Ou a tua.

JAN VAN LEIDEN
Foi para ser o executor da Sua vontade que o Senhor me trouxe a Münster.
Será bom para ti que não o esqueças e, sendo profeta, como dizes, o proclames em todas as ocasiões.

(*Ouvem-se gritos e choros ao longe. Depois, à frente da multidão que entra, um soldado levanta, espetada num pau, a cabeça de Jan Matthys. Aparecem Knipperdollinck e Rothmann.*)

JAN VAN LEIDEN
O Senhor quis levar para junto de Si o nosso irmão Jan Matthys, louvado seja, pois, o Senhor.
Não soubemos, nem Matthys nem eu, compreender a palavra que Ele lhe dissera.
Agora, à vista deste trágico despojo, tudo se torna claro.

JAN DUSENTSCHUER

"Vem a mim", eis o que o Senhor disse a Matthys, e Matthys pensou que Deus o estava chamando para Lhe servir de braço e, em Seu nome, dar final batalha aos católicos.

Ora, Deus ainda não está prestes a fazer soar a hora em que venceremos o bispo Waldeck.

CORO GERAL

Estávamos nas muralhas, vigiando o acampamento de Waldeck, quando Matthys apareceu ao pé de nós e disse: "Vereis como aqui pronto se vai acabar a guerra."

Abriu a porta da cidade e saiu para o campo, à frente dos poucos soldados que trouxera consigo.

Logo lhe saíram ao encontro os católicos e, em menos tempo do que leva a contá-lo, foram os nossos desbaratados e mortos.

Deixaram este soldado com vida para que trouxesse para a cidade a cabeça de Matthys.

Ainda estremecemos de horror quando recordamos o instante em que, com um golpe de acha, o pescoço lhe foi cortado e a cabeça rolou pelo chão, espirrando sangue e gritando o nome do Senhor.

Como terá gritado a cabeça degolada do Batista quando a levavam à presença de Salomé.

KNIPPERDOLLINCK

Fortaleçamos os nossos espíritos, irmãos, e imitemos, em cada dia da nossa vida, o exemplo de fidelidade que a ação de Matthys representou.

Deus só nos dará a vitória quando, no Seu livro de

contas, na página de Münster, tiverem sido inscritas tantas provas de uma fé igual quantos os habitantes tem a cidade.

ROTHMANN
Que faremos agora?

JAN DUSENTSCHUER
Surpreendido ficaria se Jan van Leiden não tivesse uma resposta para essa pergunta.

JAN VAN LEIDEN
Não creio que vás ficar surpreendido, Jan Dusentschuer, porque, às vezes, chego a pensar que és capaz de ler no meu pensamento.

JAN DUSENTSCHUER
Não é no teu pensamento que eu leio, mas no teu coração.

ROTHMANN
Falais um com o outro como se ambos conhecêsseis algo que nós ignoramos.

JAN VAN LEIDEN (*Irónico*)
Porque, ao contrário de Jan Dusentschuer, nem tu nem Knipperdollinck sabeis ler em corações.

(*Depois duma pausa*) Devo, portanto, abrir-vos o meu, como entre irmãos se deverá usar sempre.

E mais ainda nesta hora trágica em que nos está contemplando o nosso irmão Jan Matthys.

Não apenas o que dele resta na terra, essa cabeça e esses

olhos mortos, mas o que dele agora vive no céu, o seu inteiro corpo e os seus olhos lúcidos e eternos.

KNIPPERDOLLINCK
Aonde queres chegar?

JAN VAN LEIDEN
O trespasse do nosso irmão Jan Matthys foi um sinal, e não a consequência de ter trocado umas palavras do Senhor por outras.

ROTHMANN
De que sinal queres falar?

JAN VAN LEIDEN
Estamos, ou não estamos de acordo em que Münster é a cidade de Deus?

CORO GERAL
Sim, Münster pertence a Deus.

JAN VAN LEIDEN
Como é possível, então, que homens eleitos por homens governem aquilo que a Deus pertence?

KNIPPERDOLLINCK
O Senhor iluminou o espírito de Münster quando da eleição, por isso o Conselho Municipal nos é favorável.

JAN VAN LEIDEN
Agora mesmo o Senhor iluminou o meu espírito, e os

vossos irá iluminar para que em mim passeis a ver o sucessor de Jan Matthys, e como tal me proclameis.

JAN DUSENTSCHUER
    Sucessor de Matthys te proclamo eu já, e de mais te proclamaria ainda se para tanto fosse chegada a hora.

ROTHMANN
    Reconheço que és o sucessor de Jan Matthys.

KNIPPERDOLLINCK
    Também eu te reconheço como sucessor de Jan Matthys.

JAN VAN LEIDEN
    Pela força da vontade de Deus e do vosso reconhecimento, declaro ímpio o Conselho Municipal, que a partir deste momento fica abolido.
    No lugar dele, e sob meu poder, a cidade será governada, em todos os assuntos, públicos e privados, terrenais e espirituais, por doze homens que nesta hora escolherei e a que dou o título de Juízes das Tribos de Israel.
    (*Começa a nomear.*) Tu serás Ruben, tu serás Simeão, tu serás Levi, tu serás Judá, tu serás Dan, tu serás Neftali, tu serás Gad, tu serás Aser, tu serás Issacar, tu serás Zabulão, tu serás José, e tu, finalmente, serás Benjamim.
    Ver-me-eis como vosso chefe e vosso pai, tal como viam a Jacob aqueles de quem vos dei os nomes.

KNIPPERDOLLINCK
    E eu, que faço?

Jan van Leiden
Tu, Knipperdollinck, serás o meu porta-espada, aquele que, em autoridade e em poder, vem depois de Jan van Leiden.

Rothmann
Terei de perguntar sobre mim?

Jan van Leiden
Tu és Rothmann, e, sendo Rothmann, não precisas ser mais.

Coro dos juízes das tribos de Israel
Jan van Leiden é a boca e a língua do Senhor, a sua vontade será a lei de Münster.

Jan van Leiden
Só os que forem justos têm lugar na Igreja Regenerada, por isso castigarei terrivelmente a quantos, tendo pedido e recebido o novo batismo, voltarem a cair em pecado.
Morrerão, pois, os blasfemos, os que proferirem palavras sediciosas, os que levantarem a voz contra os próprios pais, os que desobedecerem às ordens dos seus amos, os adúlteros, os licenciosos, os murmuradores, os que espalharem o escândalo, os que se queixarem sem motivo.
Esta é a minha lei e estes são os Juízes da minha justiça.
Pois bastaria perder-se uma só alma em Münster para que Münster fosse perdido.

Coro dos juízes das tribos de Israel
Povo justo de Münster, expulsa de ti o pecado, lembra-te do que foi dito pelo profeta:

"Eis que os olhos do Senhor estão abertos sobre o reino que peca;
Exterminá-lo-ei da face da terra.
Mas não destruirei completamente a casa de Jacob — diz o Senhor,
Porque vou dar ordens,
Vou sacudir a casa de Israel entre todas as nações,
Como se sacode o grão no crivo,
Sem que um só grão caia por terra.
Todos os pecadores do
Meu povo morrerão à espada,
Eles que dizem: 'Não seremos atingidos,
Não virá sobre nós o mal.'"

JAN VAN LEIDEN

Não andeis por aí a gabar-vos: "Não seremos atingidos, não virá sobre nós o mal."
Porque também eu vos hei de sacudir como o grão no crivo, e deixarei cair e pisarei os grãos apodrecidos e imperfeitos que entre vós forem encontrados.
Lembrai-vos do que disse o profeta: "Todos os pecadores do Meu povo morrerão à espada."

QUARTO QUADRO

VOZ DENTRO

Holofernes, o chefe dos assírios, não caiu diante de jovens,
Nem foram heróis nem gigantes corpulentos
Que se lhe opuseram,
Mas foi Judite, filha de Merari,
Que o perdeu com a formosura do seu rosto.

Despiu o seu vestido de viúva,
E vestiu-se com aparato,
Para o triunfo dos israelitas.
Ungiu o seu rosto com perfumes,
Arranjou as madeixas dos seus cabelos com um turbante,
E vestiu-se com um vestido novo para o seduzir.
As suas sandálias arrebataram-lhe os olhos.
A sua beleza cativou a sua alma.
Ela cortou-lhe a cabeça com a sua própria espada.

(*Pausa. Da Igreja de S. Lamberto começam a sair homens e mulheres que vêm de escutar a pregação. Pouco a pouco, vão-se dispersando e retirando. Apenas ficam Gertrud von Utrecht e Hille Feiken.*)

GERTRUD VON UTRECHT
O Senhor quer e pode quanto quer, impenetráveis ao entendimento dos homens são os caminhos do Senhor.
Que, tendo Ele dentro dos muros de Betúlia um exército de israelitas, determinou que os assírios fossem vencidos por Judite, uma simples mulher.

HILLE FEIKEN
A minha alma está confusa.

GERTRUD VON UTRECHT
Porquê?

HILLE FEIKEN
Porque não sei se, dentro dela, é a voz do Senhor que me está ordenando que vá salvar Münster,

Ou se foram os demónios do orgulho e da presunção que em mim penetraram para tentar-me.

GERTRUD VON UTRECHT
Que queres dizer? Fala claro.

HILLE FEIKEN
Se Deus quis que a viúva de Manassés matasse Holofernes, general de Nabucodonosor, Por que não haveria de querer que a donzela Hille Feiken matasse o bispo Waldeck, general do papa?

GERTRUD VON UTRECHT
Enlouqueceste, Hille Feiken? Como crês tu que conseguirias chegar viva ao campo dos católicos?
E, supondo que lá chegavas, és capaz de imaginar-te a levantar uma espada contra o bispo e cortar-lhe a cabeça?
Lembra-te do que sucedeu a Jan Matthys, que também acreditou que o Senhor o tinha chamado, e acabou ele degolado.

HILLE FEIKEN
Se Rothmann nos falou de Judite e Holofernes foi porque o Senhor assim o quis, hoje, não ontem, nem amanhã.
O Senhor experimentou em Jan Matthys a nossa fortaleza, quem nos diz que não quererá, em mim, prová-la definitivamente?

GERTRUD VON UTRECHT
Mas tu és ainda como uma criança.

HILLE FEIKEN
    David não tinha mais idade do que eu quando venceu Golias.

GERTRUD VON UTRECHT
    David atirou uma pedra de longe, e tu não poderás seduzir Waldeck se não te chegares a ele. Então estarás despida e desarmada, pois sendo a nudez a tua arma de sedução, não poderá ser a tua arma de matar.

HILLE FEIKEN
    Estrangulá-lo-ei.

GERTRUD VON UTRECHT
    Com esses braços? Com essas mãos?

    (*Começa a ouvir-se um grande ruído de batalha. Estrondos de canhões, gritos, entrechocar de espadas. Os católicos tentam, uma vez mais, assaltar os muros da cidade. No meio da confusão, entre a gente que corre, perdem-se Gertrud von Utrecht e Hille Feiken. Longe, ao fundo, veem-se os clarões dos incêndios. Lentamente, como uma tempestade que se afasta, o ruído vai diminuindo. Os defensores de Münster reaparecem, mostrando sinais da ferocidade da luta. Com eles estão Jan van Leiden, Knipperdollinck, Rothmann e Jan Dusentschuer.*)

JAN VAN LEIDEN
    Tivésseis vós cometido algum delito diante do Senhor,

que Ele vos teria abandonado hoje às mãos do inimigo, a quem ficaríeis subjugados. Mas o povo de Münster, obediente ao poder de Deus e à minha autoridade, não ofendeu o seu Senhor.

E assim Deus vos defendeu hoje, e os nossos inimigos serão, para sempre, o opróbrio de toda a terra.

JAN DUSENTSCHUER
Proclamo-te, Jan van Leiden, general de Deus.

KNIPPERDOLLINCK (*Para Rothmann*)
Generais de Deus são os que, por defenderem a cidade, perderam hoje a vida.

ROTHMANN (*Para Knipperdollinck*)
Tem cuidado, Knipperdollinck, não seja que venhas tu a perder a tua.

JAN VAN LEIDEN
Que murmurais vós lá?

ROTHMANN, KNIPPERDOLLINCK
Que mereces, sobre todos nós, o título que Jan Dusentschuer acaba de dar-te.

JAN VAN LEIDEN
Dizer que o mereço sobre todos vós é pretender comparar o que comparação não poderia ter.
Porque se, em Münster, eu sou aquele que vem depois de Deus, vós, de mim, estais tão longe quanto de Deus eu estou.

Não porque vos tenha afastado eu do meu poder, mas porque Deus fez a sua escolha.

ROTHMANN, KNIPPERDOLLINCK
Assim é, Jan van Leiden. Deus o quis, Deus o há de querer.

JAN DUSENTSCHUER (*Aparte*)
Desta maneira convém que falem os que desta maneira não pensem.

JAN VAN LEIDEN
Outra vez o bispo Waldeck, serpente do pecado, veio cuspir fogo e veneno contra as nossas portas.

Santificadas estão, porém, as muralhas de Münster, pois o Senhor assentou sobre elas o Seu pé esquerdo,

Enquanto, posto firmemente sobre as nossas almas, o Seu pé direito toma um último impulso para nos levar à vitória final contra os malvados.

Endureçamos os nossos corações, sejamos os mais justos entre os justos.

Um esforço ainda, povo de Münster e de Deus, e venceremos.

CORO GERAL
Endureçamos os nossos corações, sejamos os mais justos entre os justos.

Um esforço, um esforço ainda, povo de Münster e de Deus, e venceremos.

(*Saem todos. Tal como antes Gertrud von Utrecht e Hille Feiken haviam desaparecido entre a multidão, assim reaparecem agora do meio dela, ficando depois, uma vez mais, sozinhas em cena. Hille Feiken traz nas mãos o que parece um pano.*)

GERTRUD VON UTRECHT
    O meu coração está contente, a minha alma rejubila porque o olhar de Deus desceu complacentemente sobre a cabeça de Jan van Leiden, meu marido.
    Um esforço mais e venceremos, disse ele, e é como se o tivesse dito o Senhor.

HILLE FEIKEN
    Descansem nas muralhas os soldados, sem cuidados apoiem-se nas lanças e nas espadas, que esse esforço final o farei eu.
    O pé esquerdo de Deus buscou o meu coração, o Seu pé direito a minha alma, e eis-me flecha do Seu arco, pronta a ser disparada.

GERTRUD VON UTRECHT
    Esta guerra não é só de homens, Hille Feiken, também nós, mulheres, vamos à batalha e lutamos como podemos.
    Mas querer imitar Judite neste tempo, levantando uma espada contra o bispo, é uma loucura, é correr ao encontro de uma morte certa.

HILLE FEIKEN
    Não matarei Waldeck com espada ou punhal, não lhe porei fogo, não lhe lançarei uma corda ao pescoço.

GERTRUD VON UTRECHT
Usarás as mãos, como disseste.

HILLE FEIKEN
Estarei, como estava Judite, vestida de aparato, não com trajes de viúva, que não sou, mas com as galas ingénuas e sedutoras duma donzela.
Perfumarei os braços, os cabelos e o colo, e as palmas das minhas mãos.
Assim ele respirará o olor da tentação quando eu, de joelhos, lhe implorar piedade para Münster.

GERTRUD VON UTRECHT
Waldeck manda-te pôr fora, se não fizer coisa pior.

HILLE FEIKEN
Com olhares expressivos e meias palavras, dar-lhe-ei a entender que serei dócil aos seus desejos.
Jurarei, se for preciso, que a sorte de Münster me é indiferente, que renuncio à minha fé.
Que me ofereço para sua barregã, que me recolherei a um convento, que a porta da minha cela, como a porta do meu corpo, sempre estarão abertas para ele.

GERTRUD VON UTRECHT
Muito bem, já o seduziste, já o tens rendido, já estás só com ele.
Matá-lo, como?

HILLE FEIKEN
Com esta camisa.

GERTRUD VON UTRECHT
Quê?

HILLE FEIKEN
Quando ele se dispuser a deitar-se comigo, pedir-lhe-ei que, como prova do seu bem-querer e do seu desejo, ponha esta camisa, por minhas próprias mãos talhada e bordada. E quando ele a tiver vestida não viverá mais do que um minuto. Pois o veneno com que impregnarei o tecido só dará sinal do seu efeito quando for já tarde demais.

GERTRUD VON UTRECHT
Veneno?

HILLE FEIKEN
Este. (*Mostra um frasco que contém um líquido incolor.*) Vê como é límpido, dirias que é água pura, e contudo a pele que lhe tocar tornar-se-á em pouco tempo negra como carvão. Assim morrerá o bispo Waldeck, queimado antes de entrar no inferno dos católicos.

GERTRUD VON UTRECHT
Temo pela tua vida, se te descobrem.

HILLE FEIKEN
Eu vou morrer, Gertrud, tanto fará que mate, ou não mate, Waldeck.
Morrerei ainda antes de chegar ao pé dele, se os guardas suspeitarem da minha intenção.
E morrerei se o matar, porque certamente não conseguirei fugir da sua tenda.

Judite tinha consigo uma serva e, nas três noites que esteve no campo de Holofernes, foi com ela ao vale de Betúlia para adorar o seu Deus e fazer as abluções numa fonte que ali havia. Mas eu estarei sozinha no vale da morte, não terei mais água para as abluções que as lágrimas que me derem tempo de chorar, E receio bem que, então, a minha primeira palavra para adorar a Deus seja também a última.

GERTRUD VON UTRECHT
    Não procures a morte, Hille, afasta da tua cabeça essa loucura.

HILLE FEIKEN
    Não posso.
    Se foi Deus quem o quis, cumpro a Sua vontade.
    Se é uma tentação do Demónio, e Deus não a contraria, é ainda a vontade de Deus que vou cumprir.
    Basta de palavras, ajuda-me.

(Hille Feiken desdobra a camisa, que Gertrud von Utrecht segura pelas mangas. Hille Feiken derrama o líquido uniformemente sobre o tecido. Depois a camisa é envolvida num pano grosso.)

HILLE FEIKEN
    Se te lembrares, pensa um pouco em mim. *(Sai.)*

GERTRUD VON UTRECHT *(Ajoelhando-se.)*
    Meu Deus, diz-me, precisas realmente de tudo isto para nos mostrares a Tua grandeza?

FIM DO SEGUNDO ATO

Terceiro ato

Primeiro quadro

Jan van Leiden está esperando.
Entra Rothmann.

Rothmann
  Mandaste que viesse, Jan van Leiden. Em que posso servir-te?

Jan van Leiden
  Os lobos, os tigres e as serpentes quiseram assaltar os nossos muros, mas o Senhor combateu ao lado do Seu povo e as feras católicas foram repelidas.
  Em defesa de Münster, e seu governo, instaurei e faço cumprir as leis que Deus me inspirou, por isso esta vitória nos foi dada.
  Outras muitas o Senhor virá a outorgar-nos no futuro,

desde que guardemos inteira obediência aos exemplos dos patriarcas,
Particularmente em época de tanta necessidade como esta que vivemos.

ROTHMANN
Entendo-te e não te entendo, as tuas palavras são, ao mesmo tempo, claras e obscuras.

JAN VAN LEIDEN
Observa, Rothmann, como, por efeito dos constantes combates, vem diminuindo na cidade o número de homens, em comparação com as mulheres.

ROTHMANN
Sim, há, em Münster, muitas mais mulheres do que homens.
Mas o mesmo acontece em todas as cidades longamente sitiadas, como é o caso.
Já de seu natural as mulheres duram mais, e a morte, na guerra, ainda que não as poupando, é aos homens que mais de costume leva.
Porém, voltando a paz, em pouco tempo ficam uns para os outros.

JAN VAN LEIDEN
Tu próprio disseste: vivem mais as mulheres, de modo que, com guerra ou sem guerra, sempre os homens são menos.

ROTHMANN
Assim é.

JAN VAN LEIDEN
Deus não faz nada sem uma razão, e se, desde o começo do mundo, quis que as mulheres fossem em maior número do que os homens,
Foi para que cada homem pudesse ter mais do que uma mulher, e mesmo tantas quantas pudesse alimentar,
Como patente ficou na vida dos patriarcas, que não tinham uma nem duas, mas muitas.

ROTHMANN
Creio compreender a tua ideia.

JAN VAN LEIDEN
Não serias Rothmann se não a compreendesses.

ROTHMANN
Que queres que faça?

JAN VAN LEIDEN
Que pregues a poligamia às mulheres e aos homens de Münster, invocando o exemplo dos antigos patriarcas, que em todos os atos da vida devemos seguir,
Porque somos o povo eleito de Deus,
E também por causa desta necessidade em que nos achamos, havendo tanta mulher sem homem por essas ruas e praças, com grande perigo das almas,
Como já se nota pela concupiscência dos olhares que trocam uns e outros.

ROTHMANN
Melhor será que peque o pensamento, e não a carne.

JAN VAN LEIDEN

Aos olhos de Deus não há diferença, Rothmann.

E tu esqueces que em Münster, cidade santa, o pecado não pode existir, e todo o homem que se aproximar duma mulher carnalmente só o deverá fazer com o fito de procriar.

Pelo que, quando as mulheres forem distribuídas pelos homens, excluir-se-ão da partilha as estéreis e as grávidas porque elas não poderiam dar ao homem senão prazer,

E esse, sim, é pecado, se não for para gerar.

ROTHMANN

Queres que pregue em favor da poligamia depois de mil vezes termos execrado a promiscuidade e o adultério?

JAN VAN LEIDEN

"Frutificai e multiplicai-vos", disse o Senhor, e isto significa que não há promiscuidade onde a vontade de Deus for cumprida.

Quanto aos adúlteros, tão certa terão eles, de futuro, a pena de morte como já a têm agora.

ROTHMANN

Sendo assim, pregarei segundo o que dizes.

JAN VAN LEIDEN

Não percamos tempo, então, convoca o povo para a praça e usa o teu poder de persuasão, mas como se tivesse sido uma ideia tua.

(*Sai Jan van Leiden. Rothmann fica pensativo, como se duvidasse, mas, pouco a pouco, a sua expressão anima-se.*)

ROTHMANN (*Batendo palmas.*)
Vinde, vinde todos, cidadãos de Münster, homens e mulheres do povo eleito, vinde.

(*Entra gente em tropel, ansiosa. Entre ela estão Gertrud von Utrecht e Knipperdollinck.*)

CORO GERAL
Que é, que é, por que nos chamas?
Outra vez nos vem assaltar o bispo?

ROTHMANN
Tranquilizai-vos, irmãos, o lobo Waldeck lambe as suas feridas.
Chamei-vos para vos falar duma nova ordem do Senhor, que, vendo como prosperamos na obediência à Sua vontade,
Quer que sigamos, de agora em diante, passo por passo, o exemplo dos antigos patriarcas.
Porém, antes, permiti que vos recorde o que, no Apocalipse escreveu o apóstolo João.
Disse ele: "Não danifiqueis a terra, nem o mar, nem as árvores até que tenhamos assinalado os servos do nosso Deus nas suas frontes, e esses são cento e quarenta e quatro mil, de todas as tribos de Israel."
Esses serão os eleitos, doze mil por cada uma das doze tribos, e todos serão assinalados nas suas frontes,
Mas não antes de poderem ser contados cento e quarenta e quatro mil, nenhum mais e nenhum menos.
Ora, nós temos claro que Münster é a Nova Jerusalém, a cidade justa e santa, e portanto aqui serão assinalados os eleitos.

Porém, irmãos, não há em Münster cento e quarenta e quatro mil almas, nem tão cedo as haveria se o Senhor não me tivesse anunciado a sua nova vontade.

(*Pausa. A multidão mostra-se nervosa, impaciente.*)

CORO
   Que vontade? Que vontade?

ROTHMANN
   Que se restabeleça em Münster a poligarnia, para que o anjo com o selo do Deus vivo não demore a subir do Oriente e a marcar-nos na fronte,
   E, assim assinalados, de vestidos brancos e palmas nas mãos, clamaremos em voz alta, dizendo: "A salvação pertence ao nosso Deus que está sentado no trono, e ao Cordeiro."

CORO
   A salvação pertence a Deus que está sentado no trono, e ao Cordeiro.

ROTHMANN
   Todas as pessoas núbeis ficam obrigadas a contrair matrimónio,
   As mulheres solteiras aceitarão por marido o primeiro homem que as solicitar.
   Na pureza da aliança e sem luxúria carnal.
   Assim constituiremos o Reino de Deus.

CORO MASCULINO (*Alegremente*)
   O Senhor o quis, cumpra-se a vontade do Senhor.

CORO FEMININO (*Tom de protesto*)
Seremos nós como o gado no curral, que não se lhe pergunta com quem quer acasalar?

ROTHMANN
Cuidado, mulheres, e homens que estiverdes do lado delas, pois todo aquele que resistir a esta ordem será considerado réprobo e estará sujeito a ser executado.

KNIPPERDOLLINCK
A quem anunciou o Senhor a sua vontade? A ti, ou a Jan van Leiden?
Se a ti, por que não está Jan van Leiden aqui presente para sabê-lo, sendo ele, como sucessor de Matthys, o chefe reconhecido de Münster?
Se a ele, por que foste tu encarregado de fazer este anúncio ao povo, sendo eu o porta-espada, aquele que, em autoridade e em poder, vem depois de Jan van Leiden?

ROTHMANN
A palavra de Deus procurou-me e achou-me, eu fui aquele a quem o Senhor escolheu para proclamar a poligamia em Münster.
Deus não se sujeita a hierarquias e respeitos humanos.

GERTRUD VON UTRECHT
Hille Feiken, se o não sabeis, mulheres de Münster, saiu da cidade para ir matar Waldeck, como Judite matou Holofernes.
Se o Senhor quiser que ela volte com vida, permitiremos que um homem qualquer a tire para mulher contra sua vontade?

CORO FEMININO
Não.
Nem a nós.

GERTRUD VON UTRECHT
O anjo do Apocalipse já assinalou Hille Feiken na fronte.
Não pode ser elegida por um simples varão aquela que o Senhor elegeu.
Se o Senhor quiser que Hille Feiken contraia matrimónio, não será justo que seja ela a escolher o homem com quem for casar?

CORO FEMININO
Sim.
Como nós.

ROTHMANN
Insurges-te contra a vontade do Senhor, Gertrud von Utrecht?
Não o faças diante de mim, mas do teu marido.
E não creias, depois do que tenho anunciado, que continuarás a ser mulher única dele.

GERTRUD VON UTRECHT
Adão teve apenas uma mulher, Eva teve apenas um marido, mas eles nasceram diretamente das mãos do Senhor,
Ao passo que nós não somos mais do que filhos de pais e pais de filhos.
Se o Senhor assim o quer, meu marido terá outras mulheres, mas há de o mesmo Senhor permitir que elas sejam como minhas irmãs,

Porque cada uma de nós irá estar mais só tantas vezes quantas as outras forem,
E só juntas seremos o que for cada uma.

KNIPPERDOLLINCK
Se os constrangimentos duma lei, mesmo vinda de Deus, viessem a ter mais força do que a lei da liberdade, que de Deus nos veio,
Então Deus estaria contra Deus.
Direi a Jan van Leiden que nenhuma mulher pode ser obrigada a entregar-se a um homem que ela não queira.

ROTHMANN
Dir-lho-ás depois, agora cabe-me a mim informá-lo da nova vontade do Senhor.

(Entram Jan van Leiden e Jan Dusentschuer.)

JAN VAN LEIDEN
Que se passa? Por que estais todos reunidos aqui?

ROTHMANN
O Senhor falou-me.

JAN VAN LEIDEN
Que te disse o Senhor?

ROTHMANN
Que determinou restabelecer a poligamia na Sua cidade de Münster para mais depressa chegarmos a ser, doze mil por cada tribo, cento e quarenta e quatro mil,

E assim vir o anjo do Apocalipse contar-nos e assinalar-nos.

Jan van Leiden

Cumpra-se a vontade do Senhor.

A primeira escolha será minha, a seguir escolherá Knipperdollinck, depois Rothmann, e finalmente todos os outros homens.

Mas nenhum homem de Münster poderá ter mais mulheres do que Jan van Leiden.

Knipperdollinck

Por mim, não temas, Jan van Leiden, que mais estimaria eu ser escolhido do que escolher,

Sinal de que em mim teriam sido encontrados méritos que nem sempre estou certo de ter.

Jan Dusentschuer (*Rindo-se e saltando sobre a perna sã.*)

Que nenhuma mulher que eu queira se atreva a dizer que não me quer,

Coxo sou, mas profeta, e também homem completo, como não poucos gostariam de o ser.

Deus mandou, e vós não tendes mais que obedecer, a Ele e aos homens que representam na terra o Seu poder.

Jan van Leiden (*Para Gertrud von Utrecht*)

Serás a primeira entre as minhas mulheres, compartilharás comigo os privilégios e as honras do meu cargo,

Mas deverás considerar-te, a ti mesma, como igual a elas.

Grãos de areia que o mar revolve e leva aonde quer.

GERTRUD VON UTRECHT
Todos estamos, e não só as mulheres, nas mãos de Deus, o Senhor é o mar e a maré. Que Ele não se retire nunca da praia que somos, deixando-nos ressequidos e deixados uns dos outros.

CORO MASCULINO
Escolhamos as mulheres, já perdemos demasiado tempo.

CORO FEMININO
Pela boca dos homens é que sempre nos tem chegado, Senhor, a expressão da Tua vontade. Quando virá, Senhor, o dia em que, diretamente, cara a cara, nos dirás o que a nós sobretudo importa?

JAN VAN LEIDEN
Silêncio.

(Jan van Leiden toma Gertrud pela mão e vai percorrendo a fila das mulheres. Escolhe as mais belas e mais jovens. A cada uma Gertrud beija e recebe. Seguem-se Rothmann e Dusentschuer. Apenas Knipperdollinck não se move. Toda esta ação será lenta. Há mulheres que se deixarão levar com satisfação, mas mesmo a resistência das outras será silenciosa. Antes que Jan van Leiden acabe de escolher, irrompem em cena quatro soldados transportando uma padiola onde há um corpo coberto por um pano.)

CORO GERAL
Quem trazeis aí?

SOLDADO
Os católicos deixaram-na junto de uma das portas e nós recolhemo-la.

CORO GERAL
Quem é?

(Gertrud von Utrecht aproxima-se e levanta o pano. Aparece Hille Feiken morta, escurecida pelo veneno e vestida com a camisa destinada a Waldeck.)

GERTRUD VON UTRECHT
Hille Feiken!

CORO GERAL
Hille Feiken!

GERTRUD VON UTRECHT
Homens de Münster, aqui tendes a mulher que vos faltava.
Quem de vós a quer agora, quem a vem levantar em braços deste esquife para a levar ao leito nupcial?
Quem quer beber dos seus lábios o veneno que a matou?

(O horror faz calar e recuar todos. Gertrud chora e ri histericamente. Jan van Leiden puxa-a para trás e empurra-a para junto das outras mulheres. Saem todos. O último será Jan Dusentschuer. Antes de ir-se, roda em volta do corpo como se estivesse fascinado pela desfigurada beleza. Hille Feiken fica só. Pausa. Começam-se a ouvir os ruídos inconfundíveis duma batalha. Os católicos atacam uma vez mais a cidade.)

Segundo quadro

O povo reunido na praça espera Jan van Leiden. À frente do povo estão Knipperdollinck, Rothmann e os doze juízes das tribos de Israel, cada um destes com a espada que é símbolo da sua autoridade. Jan van Leiden entra, acompanhado das suas dezasseis mulheres, Gertrud incluída, e de Jan Dusentschuer.

JAN DUSENTSCHUER
Calai-vos todos, vai falar Jan van Leiden.

JAN VAN LEIDEN
Àqueles que, no segredo da sua alma, ou talvez conspirando, alguma vez ousaram duvidar da verdade da revelação que fez de mim a autoridade suprema de Münster,
O Senhor veio agora mostrar-lhes o seu traidor engano.
Pois se não fosse essa revelação e o poder que ela me outorgou, o povo de Münster não teria podido vencer o furibundo ataque de Waldeck.
Ali se viu como os nossos homens fuzilaram, bombardearam e queimaram os católicos e os seus mercenários,
Fazendo cair sobre eles o fogo dos mosquetes e da artilharia,
E também como lutaram as nossas mulheres nos parapeitos,
Lançando contra os malvados uma chuva de flechas, pedras, trapos a arder, ensopados em pez negro, e cal viva.
Louvado seja, pois, o Senhor, vencedor das batalhas justas e aliado dos homens justos.

CORO GERAL
Louvado, louvado seja.

JAN VAN LEIDEN
Louvada e exaltada seja também a Sua revelação.

CORO GERAL
Louvada e exaltada seja.

JAN VAN LEIDEN
O tempo é chegado de tornar-me vosso rei,
Porque assim como no Universo não há outro poder
senão o de Deus,
Também em Münster, imagem terrenal do céu, não
deve haver mais do que um senhor,
Este que vos fala, Jan van Leiden, a quem Deus tem
escolhido para ser Seu braço e Sua voz.

(*Movimentos diversos no povo. Perceber-se-á
que alguns estão de acordo, que outros duvidam,
e que outros, embora disfarçadamente, discordam.
Porém, os aplausos são gerais.*)

JAN VAN LEIDEN
Jan Dusentschuer, tu que, desde que cheguei a esta cidade de Münster, sempre me tens bem aconselhado,
Tu serás quem me há de ungir e coroar.

JAN DUSENTSCHUER
De mim, quero só que o futuro recorde que para isso mesmo vim ao mundo.

Porque sendo, como todos os que aqui nos encontramos, testemunha da tua glória,
Serei, também, o instrumento da tua glorificação.

JAN VAN LEIDEN
Vai buscar as vestiduras régias e as insígnias da minha realeza que tenho preparadas. (*Jan Dusentschuer sai.*)
E vós, Juízes das Tribos de Israel, entregai-me as vossas espadas,
Porque a partir de hoje não haverá em Münster outro poder que não seja o meu,
Pois duas vezes sou o vosso rei, segundo a carne e segundo o espírito.

(Dois a dois, os Juízes depõem as espadas no chão, aos pés de Jan van Leiden. Quando os últimos acabam de entregá-las, entra Jan Dusentschuer à frente de alguns homens, uns transportando uma arca, outros um trono. Dois homens retiram da arca as vestiduras. Gertrud e outra das mulheres de Jan van Leiden vestem-no. Jan van Leiden senta-se no trono.)

JAN DUSENTSCHUER
Por decreto do Pai, eu te unjo para que sejas Rei do povo de Deus no Novo Templo, e em presença de todo o povo te proclamo guia da Nova Sião.

(Sucessivamente, Jan Dusentschuer unge e coroa Jan van Leiden. Depois entrega-lhe o cetro e uma maçã de ouro, símbolo do império universal.

*A maçã, atravessada por duas espadas, está rodeada
por uma faixa horizontal que sustém uma cruz,
e é rematada por uma coroa.*)

JAN VAN LEIDEN
    Gertrud, minha primeira mulher, a quem chamo para vir sentar-se à minha direita, será a vossa rainha.
    Tomará o nome novo de Divara, que é mais próprio do seu novo estado.
    E vós, minhas outras mulheres, vinde também para aqui, disponde-vos a um e outro lado do trono para servir-me, como os anjos no céu estão servindo o Senhor.

JAN DUSENTSCHUER
    Homens e mulheres de Münster, aclamai o vosso rei.

CORO GERAL
    Real, real, por Jan van Leiden, rei de Münster.

*(De súbito, alguns homens avançam de entre
a multidão. Dirigem-se ao trono, e um deles,
Heinrich Mollenheck, põe a mão em
Jan van Leiden.)*

HEINRICH MOLLENHECK
    Cidadãos de Münster, se esta foi a cidade escolhida por Deus para ser a Nova Sião,
    Por que haveria de querer o Senhor que o rei dela fosse alguém que não é de Münster?
    E, se como rei aceitarmos este, por que terá ele de sê-lo segundo a carne e segundo o espírito?

Que mantenha o governo da cidade e o comando da sua defesa, bem está, mas muito melhor seguiriam as nossas consciências a Berndt Knipperdollinck do que a Jan van Leiden.

JAN VAN LEIDEN (*Em tom sereno*)
Tu és Heinrich Mollenheck?

HEINRICH MOLLENHECK
Sim.

JAN VAN LEIDEN
E tu, Berndt Knipperdollinck, meu porta-espada, que pensas tu do que este acaba de propor, De seres tu o rei segundo o espírito, e eu segundo a carne?

KNIPPERDOLLINCK
Penso que tem razão, que dessa maneira serviríamos melhor a Deus e a Münster.

JAN VAN LEIDEN
Pois eu digo-te que o melhor para ti será não o pensares, se quiseres continuar a merecer a minha confiança.
E que não te ocorra invocar qualquer suposta revelação, que o Senhor te tenha feito ou venha a fazer, em favor de tão perigosa ideia,
Porque Deus, em Münster, só a mim fala, e a ninguém mais.
(*Mudando de tom, mas conservando ainda a serenidade, e dirigindo-se à multidão.*) Quem mais, entre vós, está de acordo com a proposta de Heinrich Mollenheck?

(*Alguns homens adiantam-se e vão
juntar-se a Mollenheck.*)

JAN VAN LEIDEN (*Gritando, furioso.*)
Ides morrer todos!
Soldados, prendei e levai daqui a quem ofendeu a Deus ofendendo-me a mim, a quem, por ter-me desobedecido, desobedeceu a Deus.
Levai-os e matai-os já, quero ouvir-lhes os gritos.

(*Os soldados levam para fora os insurretos.
Ouvem-se sons de golpes, mas nenhuma voz.
Os soldados regressam.*)

JAN VAN LEIDEN
Então?

SOLDADO
A tua ordem foi cumprida.

JAN VAN LEIDEN
Mas eu não ouvi gritar.

SOLDADO
Não gritaram.

JAN VAN LEIDEN (*Tom de despeito*)
Gritarão no inferno. (*Rindo.*) E já gritam, já gritam.
Abriram-se as portas da casa do Diabo para os receber, as chamas queimam-nos, as forquilhas dos demónios espetam-lhes as carnes.

São as penas eternas a que, pelas suas próprias ações, se condenarão aqueles que se rebelarem contra a minha autoridade.
Ah, que não sabeis ainda, vós todos, até onde pode chegar o meu poder!

KNIPPERDOLLINCK
Sabemos que não chegará aonde só o poder divino chega, sabemos, também, o que tu nunca deverias ter esquecido: Que somos, todos juntos, o povo eleito de Deus, e que, perante Ele, qualquer de nós é igual a todos os outros.

JAN VAN LEIDEN
Deixam de ser iguais quando se lhes separa a cabeça do tronco, Knipperdollinck.

KNIPPERDOLLINCK
Não te iludas, Jan van Leiden.

JAN VAN LEIDEN (*Interrompendo.*)
Rei.

KNIPPERDOLLINCK
Não te iludas, rei.
O que Deus faz mais facilmente é colar cabeças cortadas.

ROTHMANN
Cuidado, não dividamos nós o que Deus quer manter unido.
Tu, Knipperdollinck, tens razão quando protestas a nossa igualdade diante daquele Senhor

A quem todos daremos contas finais no Dia do Juízo. Mas Jan van Leiden, sendo o nosso rei, é quem, em cada dia da vida, terá de responder por nós perante o trono de Deus.

JAN VAN LEIDEN
Não voltes a este assunto, Knipperdollinck, não quero ter de dar a Deus o trabalho de colar a tua cabeça.

KNIPPERDOLLINCK
Proibiste-me de falar das minhas revelações, mas não me podes impedir de tê-las.
Fica então sabendo que morreremos juntos, Jan van Leiden.

JAN VAN LEIDEN
Quando? Onde?

KNIPPERDOLLINCK
Tudo quanto sei dizer-te é que, onde e quando aconteça, estaremos juntos.

JAN DUSENTSCHUER
Observa, ó rei, como Knipperdollinck é subtil.
Ou tu não crês na revelação que ele te acaba de anunciar, e então poderás, se quiseres, agora mesmo, mandá-lo matar.
Ou, pelo contrário, acreditas que ela é verdadeira, e nesse caso temerás perder a vida no instante preciso em que a tirares a ele.

JAN VAN LEIDEN (*Tendo sombriamente refletido.*)
Permaneçamos juntos.
(*Outro tom, voz mais forte*) Em substituição dos Juízes das Tribos de Israel, cujas espadas me foram entregues,
Nomeio, para me ajudarem no governo da cidade, como é de uso na Flandres, quatro conselheiros reais.
Tu, Knipperdollinck, porque quero ver-te morrer quando chegar a minha hora,
Tu, Rothmann, porque a minha língua sempre precisará das tuas palavras,
Tu, Jan Dusentschuer, porque és como o cautério que faz uma ferida onde outra já existia e assim cura a ambas.
(*Pausa*) E tu, Heinrich Krechting, que foste sacerdote católico, para que não me esqueça de como pensam os nossos inimigos.
Esta é, povo de Münster, a corte real anabatista, a que deveis obediência.

CORO GERAL
Viva Jan van Leiden, viva o rei dos anabatistas de Münster!

ROTHMANN (*Pregando.*)
Amados irmãos, soou a hora da vingança.
Demasiado temos suportado a insolência da besta de três cornos de que falou Daniel, e que é o Papado com a sua tiara de três coroas.
Mas Deus, em Jan van Leiden, exaltou o David prometido e armou-o para a vingança e o castigo de Babilónia e seus moradores.
Por conseguinte, amados irmãos, armai-vos para a batalha,

Não só com a humilde arma dos apóstolos, o sofrimento, mas também com a armadura magnífica de David, a da vingança,
Para extirpar, com a potência e a ajuda de Deus, todo o poder de Babilónia e todas as instituições dos ateus.
Que Deus, Senhor dos senhores, que determinou e predisse pela boca dos Seus profetas tudo isto desde o princípio do mundo,
Desperte o vosso coração com o poder do Seu espírito e vos dê armas, assim como a todo o Seu povo de Israel.

(Aclamações. Com Jan van Leiden e Divara à frente, seguidos dos quatro conselheiros e das restantes mulheres do rei, organiza-se e desfila um cortejo. Notar-se-á que Rothmann, entre outros, exibe as suas próprias mulheres.)

TERCEIRO QUADRO

Na praça, Jan van Leiden e os seus conselheiros, Rothmann, Knipperdollinck, Dusentschuer e Krechting.

JAN VAN LEIDEN
Irmãos conselheiros, a notícia de que Waldeck, após as duas derrotas que lhe infligimos, decidiu apertar o bloqueio e fazer render a cidade pela fome,
Mostra que deixou de confiar na sorte das armas.
Deus está connosco.

KNIPPERDOLLINCK
E nós estamos com Deus.

Mas a situação torna-se mais difícil cada dia que passa, as vitórias que alcançámos custaram-nos muitas vidas.
Ameaçados agora de fome, quando são já tantas as privações que vimos sofrendo, deveríamos pedir auxílio aos nossos irmãos, onde quer que estejam.
Se a Waldeck se aliaram os príncipes, é a hora de o povo de Deus acudir a Münster.
Muitos, seremos vencedores, poucos, seremos mártires.

KRECHTING
Knipperdollinck tem razão, precisamos de ajuda urgente.

JAN VAN LEIDEN
Antes que o bloqueio se torne intransponível, enviarei apóstolos aos quatro cantos da terra.
Eles levarão a mensagem da Nova Sião, o apelo para que se juntem a nós os nossos irmãos da Alemanha, dos Países Baixos, da Bélgica e da Suíça.
Jan Dusentschuer, tu irás com eles.

JAN DUSENTSCHUER
Duas pernas sãs não andariam mais depressa.

JAN VAN LEIDEN
Ouvistes a resposta de Jan Dusentschuer.
Sem a ajuda de Deus, Münster seria como uma perna sã e uma perna coxa, com a graça de Deus caminhamos gloriosamente sobre duas pernas e os nossos passos fazem tremer a terra.
(*Pausa*) O povo de Münster demonstrará, diante dos nossos olhos, a sua lealdade para com o Pai Celestial.

Que nada do que virdes vos surpreenda, porque nada, neste mundo, poderá ser mais surpreendente do que a existência de Münster e a sua fé.

Rothmann
Que queres que façamos?

Jan van Leiden
Nada, contentai-vos com olhar.

(Jan van Leiden bate palmas. Perceber-se-á que se tratou de um sinal, porque imediatamente aparece um homem trazendo uma trombeta. A um gesto de van Leiden, o homem faz soar o instrumento longamente. Acorrendo de todos os lados, o povo irrompe na praça. Há inquietação e ansiedade no ar.)

Coro geral
Que se passa? Por que nos chama assim a trombeta, como se este fosse o Dia do Juízo Final?

Diz-nos, ó rei, a que viemos, tão imperiosamente convocados, que para responder ao teu apelo abandonámos as nossas ocupações e a própria defesa da cidade.

Jan van Leiden
Não o teríeis feito se não tivésseis confiança no poder de Deus e em mim.

Deus ficou de guarda às nossas muralhas, e eu anuncio-vos a chegada iminente de muitos irmãos, membros da Aliança, que vêm em nosso auxílio.

CORO GERAL
Viva! Viva!

KNIPPERDOLLINCK
Não é verdade.

JAN DUSENTSCHUER
Lembra-te do que ele disse: contentemo-nos com olhar. Vejamos aonde quer levar-nos com esta nova perna.

ROTHMANN (*Extático*)
Jan van Leiden é o trono de David, e David humilhará a todos os inimigos.
Então, o pacífico Salomão, o Rei eterno e Deus ungido, Cristo, ocupará e possuirá o trono de Seu pai, e o Seu Reino não terá fim.

JAN VAN LEIDEN
O exército de Waldeck e dos príncipes seus aliados rodeia a cidade, para cá apontam as bocas dos seus mosquetes e dos seus canhões,
Mas o Senhor ordenou-me que saíssemos a receber em campo aberto os nossos irmãos,
E isso faremos, levando como únicas armas as bandeiras de Münster desfraldadas,
Porque o Senhor é a nossa força e o nosso escudo, e Ele nos livrará de todo o mal.

KNIPPERDOLLINCK
Não permitirei que o povo saia.
Já se esqueceu Jan van Leiden de Jan Matthys e de Hille Feiken?

Também eles saíram e foram mortos.
Quantos cadáveres mais quer este rei ver a seus pés?

KRECHTING
Cala-te, talvez que tudo isto não passe de uma comédia.

JAN VAN LEIDEN
Quem quer vir comigo, ao encontro dos nossos irmãos?

(O povo hesita. Alguns braços levantam-se timidamente, outros imitam-nos. Por fim, num movimento que se veio acelerando, todos os braços aparecem levantados.)

JAN VAN LEIDEN
Assim alçadas, as vossas mãos estão mais perto de Deus.
Formai como soldados, erguei as bandeiras.
Que alguns de vós vão adiante para abrir as portas da cidade.
Deus já encravou os canhões e os mosquetes dos nossos inimigos, nenhuma das espadas do exército de Waldeck poderá sair da bainha, porque as mãos dos anjos do Senhor acorrerão a suspender as mãos dos soldados.
Deus de Israel, grande é o Teu poder, infinita a Tua misericórdia.

(O povo, embora sem excessivas demonstrações de entusiasmo, dispõe-se numa longa coluna de marcha. Jan van Leiden vai colocar-se à frente dela e faz sinal de avançar. Dão alguns passos.)

JAN VAN LEIDEN
Alto! Aonde ides?

CORO GERAL
Aonde nos mandaste, a receber os nossos irmãos.

JAN VAN LEIDEN (*Levantando as mãos ao céu.*)
Senhor, Tu viste como o Teu povo acaba de dar-Te, se precisa Te era ainda, definitiva prova da sua lealdade,
Pois bastou que a minha voz, que Tua é, o convocasse, sendo tão evidente o perigo duma saída dos muros da cidade,
Para que, com alegre coração, fiado no Teu poder e na Tua misericórdia, se dispusesse a ir, sem armas, aonde só com elas prevalece a esperança de sobreviver.
(*Para o povo*) Descansai, não tereis de sair a receber irmãos nossos, vós sois os que acabais de ser recebidos pelo Pai Celestial,
Pois a lealdade é o mais direto caminho para chegar ao Seu coração.
Contudo, não o esqueçais nunca: ser leal ao Pai do Céu significa ser também leal a quem é vosso pai na terra e vosso rei. (*Aplausos da multidão*)

KRECHTING (*Para Knipperdollinck*)
Eu bem te tinha dito que se tratava duma comédia.

KNIPPERDOLLINCK
Não se pode jogar desta maneira com a fé das pessoas, proíbem-no o respeito e a caridade.

KRECHTING
Ele é o rei e fala em nome de Deus.

KNIPPERDOLLINCK

Se Deus, apesar de todo o Seu poder, está obrigado a respeitar a fé que Nele temos, Muito mais obrigados a respeitá-la estarão aqueles que falam em Seu nome.

(*Aproximam-se Rothmann e Jan Dusentschuer.*)

ROTHMANN

Ouvi o que disseste, Knipperdollinck. Deverei concluir das tuas palavras que não reconheces nem acatas a autoridade?

KNIPPERDOLLINCK

Concluirias erradamente. Reconheço e acato a autoridade da consciência, que é filha de Deus.

ROTHMANN

Deus tem um Filho só, não dois.

KNIPPERDOLLINCK

São seus filhos todos os homens, e a irmã dos homens é a consciência. Deus no-la enviará, mais tarde ou mais cedo.

JAN DUSENTSCHUER

Discutireis essas teologias novas noutra ocasião. Jan van Leiden faz sinal de querer falar, ouçamo-lo.

(*Durante o diálogo de Krechting, Knipperdollinck, Rothmann e Jan Dusentschuer, desenvolvido rapidamente, Jan van Leiden andou entre a multidão a receber saudações e homenagens do povo que vai ajoelhando à sua passagem.)*

JAN VAN LEIDEN
Arauto, faz soar a tua trombeta.

(Ao som da trombeta começam a entrar homens e mulheres transportando grandes mesas. Outros homens e outras mulheres colocam comida sobre elas. O povo aplaude o aparecimento dos manjares, mas não se aproximará enquanto não lhe for dada permissão.)

JAN VAN LEIDEN
Descrentes já de poderem vencer-nos pelas armas, Waldeck e os príncipes querem agora reduzir-nos pela fome, Mas o Senhor multiplicará mil vezes a comida que vedes sobre essas mesas porque em Seu nome a tomaremos.
Aproxima-te, povo de Deus, vem comer deste alimento da alma, pois este é, verdadeiramente, o banquete messiânico do monte Sião, o Paraíso do Corpo de Cristo.

(Alegres, de uma alegria solene e mística, homens e mulheres sentam-se às mesas. Jan van Leiden e Divara servirão pessoalmente os manjares, enquanto o povo entoa salmos.)

CORO GERAL
O que habita sob a proteção do Altíssimo e mora à sombra do Omnipotente, pode exclamar ao Senhor:
"Vós sois o meu refúgio e a minha cidadela, o meu Deus em que confio!"

Ele te há de livrar da armadilha do caçador, como peste maligna,
Com Suas penas te há de proteger, debaixo das Suas asas encontrarás refúgio, a Sua fidelidade é um escudo e uma couraça.
Não temerás o terror da noite, nem a seta que voa durante o dia.
Nem a peste que alastra nas trevas, ou o flagelo que tudo destrói ao meio-dia.
Podem cair mil à tua esquerda, e dez mil à tua direita, tu não serás atingido.
Basta que abras os olhos, logo verás a recompensa dos ímpios.
O Senhor é o teu único refúgio, o Altíssimo o teu único auxílio.
Nenhum mal te acontecerá, a epidemia não tocará a tua tenda.
É que Ele deu ordens aos Seus anjos para te protegerem em todos os caminhos.
Tomar-te-ão nas palmas das mãos, não aconteça ferires, nas pedras, os teus pés.
Poderás caminhar por cima de serpentes e víboras, calcar aos pés leões e dragões.
"Porque acredita em mim, salvá-lo-ei, defendê-lo-ei porque conhece o meu nome.
Quando me invocar hei de responder-lhe, aquando da sua angústia estarei ao seu lado, para o salvar e para o honrar.
Hei de saciá-lo com dias longos, hei de mostrar-lhe a minha salvação."

(*Terminado o banquete, segue-se uma comunhão*

*solene em que Jan van Leiden, Divara e os conselheiros
do reino repartirão o pão e o vinho.)*

CORO GERAL

O meu coração, Senhor, está contente, quero cantar-Vos e louvar-Vos!
Avante, ó minha glória, despertai, harpa e cítara, quero despertar a aurora!
Louvar-Vos-ei, Senhor, perante os povos, cantar-Vos-ei perante as nações.
O Vosso amor é maior que os céus e a Vossa fidelidade chega até às nuvens.
Elevai-Vos, Senhor, sobre os céus! Sobre a terra inteira, o Vosso esplendor!
Para que sejam livres os Vossos amigos, que a Vossa direita nos socorra,
Respondei-nos!

QUARTO QUADRO

*O ambiente, sombrio, contrasta com a alegria do final
do quadro anterior. A falta de alimentos já começou
a causar os seus terríveis efeitos. O povo está reunido
na praça e entoa um salmo.*

CORO GERAL

Senhor, ouvi a minha prece, e chegue até Vós o meu clamor.
Não me oculteis o Vosso rosto no dia da minha angústia, inclinai para mim o Vosso ouvido, no dia em que Vos invocar apressai-Vos a responder-me.

Porque os meus dias esvanecem-se como o fumo, e os meus ossos ardem como um braseiro.
Fui abatido como a erva e o meu coração resseca-se.
À força de gemer apegam-se os ossos à carne.
Sou semelhante ao pelicano no deserto, sou como a coruja entre as ruínas.
Não durmo e suspiro como pássaro solitário sobre o telhado.
Os meus inimigos insultam-me todo o dia, como dementes, proferem imprecações contra mim.
Em vez de pão, como cinza, e a minha bebida mistura--se com lágrimas.

(Entra Jan van Leiden acompanhado de Divara e das restantes mulheres. Entram também os conselheiros, exceto Jan Dusentschuer, que partiu já de Münster, juntamente com outros apóstolos. O povo ajoelha à passagem do rei.)

JAN VAN LEIDEN

Que é isto, fiéis anabatistas? Que tristes palavras ouço eu das vossas bocas?

Esta dor que sofremos, esta escassez, não são, ao contrário do que vos parece, sinais de que o Senhor nos rejeitou.

Eu, vosso Rei, digo-vos que o Senhor está connosco, não nos abandonou, como não abandonou a Job na sua miséria.

A hora não é, pois, de lamentações, mas de júbilo, porque o dia da salvação vem perto e, com ele, chegará o castigo dos ímpios.

CORO GERAL
  Não duvides, ó rei, da minha paciência, não duvides da fé que me guia, mas este corpo, de tão exausto e faminto que o levo, já mal pode reter o espírito.

JAN VAN LEIDEN
  Ânimo, povo de Münster!
  Cantemos ao Senhor um cântico novo, os Seus louvores.
  Alegre-se Israel no seu Criador.
  Os filhos de Sião exultam no seu Rei.
  Celebram o Seu nome com a dança, cantam-lhe com as harpas e os tambores.
  O Senhor, em verdade, ama o Seu povo e adorna os humildes com a vitória.
  Aleluia!

CORO GERAL
  Aleluia!

JAN VAN LEIDEN
  Vamos, vamos, mexam-me esses braços e essas pernas, quero ver-vos dançar a todos.
  E essas vozes, soltai-me essas vozes, que as ouça, jubilosas, o inimigo, não vá ele pensar que estais morrendo de inanição.
  Knipperdollinck, dá tu o exemplo ao povo, não chega seres conselheiro, sê também dançarino.
  Dança, dança, diante do trono de David, diante do teu rei.

KNIPPERDOLLINCK
  Não desperdicemos em bailes a força de que precisamos para a guerra.

JAN VAN LEIDEN
 Dança, Knipperdollinck, dança, olha que não to direi três vezes.

(Knipperdollinck hesita, mas obedece e começa a dançar. Pouco a pouco, a multidão vai-se movendo e acompanha-o. Ouvem-se os instrumentos. Knipperdollinck para de dançar, o povo prossegue.)

JAN VAN LEIDEN
 Já te cansaste?

KNIPPERDOLLINCK
 Não pude continuar a dançar porque me lembrei, subitamente, dos apóstolos que mandaste aos quatro cantos da terra, segundo o teu dizer.
 Vinte e sete foram os que partiram daqui, e, tirando um deles, de quem é lícito suspeitar que seja traidor, todos acabaram mortos.
 Morto foi também aquele Jan Dusentschuer que te coroou, e eu não vi nos teus olhos uma lágrima de pena quando recebeste a notícia da sua morte, nem no teu rosto um sinal de dor.

JAN VAN LEIDEN
 Já viste chorar algum carrasco, Knipperdollinck?
 Os reis são como os carrascos, não choram, e queres saber porquê?
 Porque não podem chorar por si próprios.

KNIPPERDOLLINCK
Talvez os carrascos e os reis consigam chorar por si próprios à hora da morte.

JAN VAN LEIDEN
Não sei, nunca vi morrer nenhum rei nem nenhum carrasco. Sabes, Knipperdollinck, em que estou a pensar agora? Que deveria ter-te mandado com os outros.

KNIPPERDOLLINCK
A estas horas estaria morto.

JAN VAN LEIDEN
Ou terias traído.

KNIPPERDOLLINCK
Tranquiliza-te, Jan van Leiden, eu sou daqueles que podem chorar por si próprios, mas que a si próprios não se traem nunca.
Guarda tu a tua realeza e cuida de ser sempre digno dela.
Entretanto, vai contando os teus mortos.

*(A dança, aos poucos, tem vindo a esmorecer.
As forças do povo já não são muitas. A atmosfera
sombria volta a cair sobre a cena. Há no ar
um pressentimento de tragédia.)*

JAN VAN LEIDEN
Um rei não conta mortos, conta vitórias.

(*Falando para o povo.*) E vós, haveis parado, porquê? Se eu vos digo que danceis, deveis dançar, pois a tristeza e o desgosto não encontram graça aos olhos do Senhor. Dançai, dançai todos!

(*Quase desfalecendo, aos tombos, o povo recomeça a dançar. Alguns caem, outros tentam reerguê-los e caem também. A cena é dolorosa.*)

KNIPPERDOLLINCK
Deus não pode querer esta violência.

ROTHMANN
O Senhor aceita o castigo justo, não a punição sem causa.

JAN VAN LEIDEN
Que sabeis vós do que aceita e quer o Senhor?
Eu sou aquele que decide em Seu nome, e eis o que tenho decidido,
Ao ver como miseravelmente se arrastaram na dança esses velhos, essas mulheres e essas crianças, de nenhuma utilidade para a defesa da cidade.
Precisamos, sim, de braços e peitos fortes, não de bocas inúteis que nem merecem o pão que comem.

KRECHTING
Tremo de imaginar o que decidiste.

JAN VAN LEIDEN
Tremerás ainda mais quando o souberes, e eles muito mais do que tu.

KNIPPERDOLLINCK, ROTHMANN
Fala.

JAN VAN LEIDEN
O Senhor o quer, eu o anuncio. Bem mais do que a mesquinha vida de cada um, é a cidade que tem de ser salva. Os velhos já não nos servem para nada, as crianças serviriam, sim, se houvesse tempo para deixá-las crescer, e as mulheres, aquelas que não encontraram quem as quisesse, é como se não existissem. Saiam pois da cidade todos esses, mulheres, velhos, crianças, que o Senhor, se assim o entender, os salvará. E se a justiça do Senhor os rejeitar, então que morram, para que, com o sacrifício do seu sangue, mais cedo possa salvar-se Münster.

(*Gritos de horror e protesto. As vítimas designadas, como se se tivessem procurado umas às outras, reúnem-se num lamentoso rebanho. As mulheres de Jan van Leiden rodeiam-no como para interceder junto dele.*)

KNIPPERDOLLINCK
Não sejas hipócrita, Jan van Leiden.
Sabes bem que se deitas fora estes desgraçados, a quem estás fazendo desesperar de Deus, eles serão trucidados pelos católicos mal ponham pé fora das portas.

JAN VAN LEIDEN
E daí?

Deus elegeu-nos a todos para Seu povo, mas nem todos poderão sentar-se à Sua direita.

ELSE WANDSCHERER
E onde te sentarás tu, Jan van Leiden?

(Else Wandscherer desafia frontalmente Jan van Leiden. As outras mulheres reagem assustadas. Divara tenta dissuadir e afastar Else.)

JAN VAN LEIDEN
Falaste comigo?

ELSE WANDSCHERER
Não há aqui outro Jan van Leiden, não há aqui outro a quem eu possa fazer a pergunta,
Porque de nenhum outro tenho tanto a certeza de que não virá a sentar-se à direita de Deus.

JAN VAN LEIDEN
Estou tentado a fazer-te sair da cidade com aqueles.

ELSE WANDSCHERER
Não tens mais que dizer-mo, ou nem precisarás, porque eu própria, por meu pé, me juntarei a eles.

JAN VAN LEIDEN
Farás só o que eu te disser, porque, sendo minha mulher, e neste momento já a última delas, não tens nem querer nem vontade.

ELSE WANDSCHERER
Tenho a vontade e o querer bastantes para dizer-te, homem cruel, que se foi Deus quem fez de ti nosso rei, e não, como creio, a tua ambição,
Então é porque Deus quer que se perca Münster, e mais vale que aqui mesmo nos percamos já todos.
Quisesse o Senhor que nos salvássemos, e não te teria trazido a Münster.
Não terá sido, antes, o Diabo que aqui te trouxe?
Um dia disseste que ofender-te a ti era o mesmo que ofender a Deus.
Pois eu respondo-te que Deus não se ofende senão quando a inocência é ofendida.
Porque Ele próprio estava inocente e foi sacrificado.

JAN VAN LEIDEN
Sabes tu, Else Wandscherer, por que não te mando para fora da cidade com esses de quem te apiedas tanto?

ELSE WANDSCHERER
Tu o sabes, tu o dirás.

JAN VAN LEIDEN
Porque por minhas próprias mãos te vou matar.

(*Confusão. Divara põe-se diante de Else Wandscherer, para a proteger.*)

DIVARA (*Para Jan van Leiden*)
Sou a tua primeira mulher, escuta-me.

JAN VAN LEIDEN
>Primeira, segunda ou última, sois todas iguais.

DIVARA
>Todas iguais, sim, porque nos reconhecemos irmãs quando nos imaginavas rivais.
>O teu gozo de homem, que vieste buscar a cada uma de nós, ficou fechado dentro de ti, mas o nosso, quando o tivemos, partilhámo-lo.
>Tu, Jan van Leiden, não sabes quem nós somos.

JAN VAN LEIDEN
>Sois mulheres, e isso basta-me.
>Tira-te da minha frente.

DIVARA
>Foge, Else, foge.

ELSE WANDSCHERER
>Ninguém pode fugir da sua morte.

JAN VAN LEIDEN
>Tens razão, mulher sábia.
>Morre, pois.

(Jan van Leiden, furioso, apunhala Else. Divara e as outras mulheres amparam-na. Murmúrios ameaçadores ouvem-se entre a multidão, mas Jan van Leiden faz um sinal aos soldados, que, imediatamente, rodeiam aqueles que vão ser expulsos e começam a empurrá-los para fora. Choros e lamentos que, aos poucos, se extinguem na

distância. Longa pausa. Soam enfim gritos: os velhos, as mulheres e as crianças estão a ser mortos fora dos muros.)

DIVARA

Deus tem na Sua mão direita uma taça e na Sua mão esquerda outra taça.
Na taça da mão direita guarda aquela parte do nosso sangue que os inimigos fizeram verter.
Na taça da mão esquerda está a outra parte do nosso sangue, a que nós próprios fizemos derramar.
Eis que a taça da mão esquerda deitou por fora com o sangue destas vítimas.
Eis que está chegando o dia em que a taça da mão direita receberá o sangue que ainda nos resta.
Senhor, por que foi que nos criaste? Senhor, por que nos abandonas?

QUINTO QUADRO

O bloqueio reduziu a cidade aos últimos extremos da penúria. Apesar disto, e embora submetido à tirania de Jan van Leiden, o povo conserva o fervor religioso. Reunidos na praça, os habitantes de Münster dirigem uma súplica a Deus.

CORO

Até quando, Senhor, me esquecereis tão duramente?
Até quando me escondereis a Vossa face?
Até quando trarei a minha alma em cuidados, com a tristeza todos os dias em meu coração?
Até quando prevalecerá o meu inimigo sobre mim?

Olhai-me, respondei-me, Senhor meu Deus!
Iluminai os meus olhos para que não adormeça na morte.
Que o meu inimigo não diga: "Venci-o", e os meus adversários se regozijem da minha queda.
Eu confiei na Vossa misericórdia.
Alegre-se o meu coração na Vossa salvação!
Que eu cante ao Senhor pelos benefícios que me concedeu!

(*O povo retira-se, repetindo os três últimos versículos. Em cena ficam apenas dois homens, Hans van der Langenstraten e Heinrich Gresbeck.*)

HANS VAN DER LANGENSTRATEN
A misericórdia de Deus voltou-nos as costas, a Sua salvação desprezou-nos, os Seus benefícios vão para outros.

HEINRICH GRESBECK
Não há comida em Münster, não se encontra na cidade cão ou gato porque já todos foram devorados,
E mesmo os grandes ratos têm de esconder-se bem fundo nas suas madrigueiras para escaparem à fome dos humanos.

HANS VAN DER LANGENSTRATEN
Deus, afinal, é católico, e nós não o sabíamos.

HEINRICH GRESBECK
Talvez Deus não seja católico, talvez não seja protestante, talvez não seja senão o nome que tem.

HANS VAN DER LANGENSTRATEN
Que fazemos nós aqui, então?

HEINRICH GRESBECK
Aqui, onde? Em Münster?

HANS VAN DER LANGENSTRATEN
Na terra.

HEINRICH GRESBECK
De certo modo, nada, de certo modo, tudo.
O nada é feito de tudo, mas o tudo é igual a nada.

HANS VAN DER LANGENSTRATEN
Sendo assim, todos os nossos atos são indiferentes, todos valem o mesmo.

HEINRICH GRESBECK
Sim, todos valem o mesmo.
Nada.

HANS VAN DER LANGENSTRATEN
Se nós abríssemos as portas de Münster ao inimigo, seria uma traição.

HEINRICH GRESBECK
Que é uma traição aos olhos de Deus?

HANS VAN DER LANGENSTRATEN
Disseste que talvez Deus não seja senão o nome que tem.

Seja Ele um nome, ou mais do que um nome, a traição, que é coisa de homens, não significaria nada aos Seus olhos.

Heinrich Gresbeck
Significaria, sim, se, de cada vez que traíssemos, soubéssemos de que lado Ele está.
Não pode ser chamado traidor quem a Deus favoreceu.

Hans van der Langenstraten
Deus não está do lado de Münster.

Heinrich Gresbeck
Logo, trair Münster não seria trair Deus.

Hans van der Langenstraten
Se Deus estivesse do lado de Münster, sim.

Heinrich Gresbeck
Mas Deus não está do lado de Münster.

Hans van der Langenstraten
Não.

Heinrich Gresbeck
Que faremos, então?

Hans van der Langenstraten
Trairemos Münster para não trair Deus.

Heinrich Gresbeck
E se Deus não é mais do que o nome que tem?

HANS VAN DER LANGENSTRATEN
Um dia se saberá, mas nós não o saberemos.

HEINRICH GRESBECK
Todo o ato humano é cometido nas trevas, todo o ato humano é criador de trevas.
Deus não é luz suficiente.

HANS VAN DER LANGENSTRATEN
Não há, pois, outro Diabo senão o homem, e a terra é o lugar único do inferno.

HEINRICH GRESBECK
Traímos?

HANS VAN DER LANGENSTRATEN
Traímos.

(*Saem Hans van der Langenstraten e Heinrich Gresbeck. Pausa. Entra o cortejo real, e também o povo, cantando um salmo, ao mesmo tempo que se vai ajoelhando diante de Jan van Leiden.*)

CORO
Eu vos amo, Senhor, minha força.
Senhor, minha rocha, minha fortaleza e meu refúgio.
Meu Deus e meu abrigo em que me refugio.
Meu escudo, minha defesa e meu castelo.

JAN VAN LEIDEN
Assim me agrada ouvir-vos,

Que, dirigindo-vos ao vosso Pai Celestial, usais as palavras que igualmente deveis ao vosso Rei.
Pois eu sou, em verdade, na terra, o vosso escudo, a defesa vossa, o vosso castelo.

(Irrompem subitamente os soldados do exército de Waldeck. Apanhado de surpresa, o povo de Münster mal pode defender-se. Homens e mulheres vão caindo mortos. Uns poucos fogem. Os soldados de Waldeck rodeiam Jan van Leiden, Knipperdollinck, Berndt Krechting, Divara e algumas das outras Mulheres do Rei. Na confusão, Rothmann é morto. Entra o bispo Waldeck, rodeado dos príncipes alemães seus aliados. Grande aparato militar.)

WALDECK
Deus venceu, louvado seja Deus.
Eis que calcamos aos pés a hidra da heresia e lhe faremos pagar os seus crimes.
Não invoqueis, malditos, a misericórdia do Senhor, porque é Ele quem vos quer exterminados.
Eu sou apenas o braço da justiça de Deus.
Nenhuma lágrima vossa afastará o cutelo da vossa garganta.
Nenhuma súplica desviará do seu caminho a gadanha que vos ceifará e lançará fora.
Mas se quereis ainda esperar alguma mercê de Deus no outro mundo,
Abjurai dos vossos erros, aqui, diante de mim, como diante da Santa Madre Igreja Católica Apostólica Romana, que, seu bispo, represento.
Abjurai!

(*Silêncio. Waldeck vai e vem diante dos prisioneiros. Acompanha-o um capitão. Para diante do grupo das mulheres.*)

WALDECK
Quem são?

CAPITÃO
As mulheres de Jan van Leiden.

WALDECK
Tantas rainhas para um rei?

CAPITÃO
Só a esta (*Aponta Divara.*) é que chamam rainha.

WALDECK (*Para Divara*)
Como te chamas?

DIVARA
Queres saber o meu nome de mulher, ou o meu nome de rainha?

WALDECK
Como não reconheço em ti qualquer dignidade real, diz-me como te chamavas quando eras mulher.

DIVARA
Gertrud von Utrecht.

WALDECK
Falaremos daqui a pouco.

(*Para as outras mulheres*) Quanto a vós, concubinas de um falso rei, o meu desprezo é tanto que estou inclinado a poupar-vos a vida.
 Abjurai e ide-vos daqui.
 Os meus soldados estão desejosos de carne fresca, podeis prosseguir, com eles, a vossa carreira de prostitutas.

Coro das mulheres
 Não abjuraremos, não renunciaremos à nossa fé.
 E não nos chames prostitutas, bispo, que não há maior prostituta que essa Roma a quem serves.

Waldeck
 Matai-as.

(*Os soldados lançam-se sobre as mulheres e apunhalam-nas.*)

Waldeck
 Onde está Rothmann?

Capitão (*Apontando o chão.*)
 Ali.

Waldeck
 Morto?

Capitão
 Sim.

Waldeck
 Teve sorte, protegeu-o o Diabo. (*Para Berndt Krechting*)

Tu, quem és? Heinrich Krechting, o conselheiro deste rei de palha?

BERNDT KRECHTING
Heinrich Krechting é meu irmão. O meu nome é Berndt.

CAPITÃO
Heinrich Krechting não está entre os mortos. Deve ter conseguido fugir da cidade.

WALDECK
Então, morrerá este em vez do outro. (*Para Berndt Krechting*) Abjuras?

BERNDT KRECHTING
Não.

(*Desce do alto uma gaiola de ferro, para onde os soldados levam Berndt Krechting.*)

WALDECK (*Para Knipperdollinck*)
Lembras-te de te ter dito que um dia me pagaríeis três vezes e trinta vezes as vossas ofensas?
Esse dia chegou, espera-te uma gaiola como aquela onde vês esse Krechting, irmão do outro, espera-te a tortura antes da morte. Abjuras?

KNIPPERDOLLINCK
Não.

(*Desce a segunda gaiola. Knipperdollinck
é atirado para dentro dela.*)

WALDECK (*Para Jan van Leiden*)
　Glorificado sejas pelos teus mortos, ó rei de Münster, ó rei de nada, glorifiquem-te os diabos no inferno quando lá entrares.
　Abjuras?

JAN VAN LEIDEN
　Reconheço os erros.

WALDECK
　Não te perguntei se reconheces os erros, perguntei-te se abjuras.

JAN VAN LEIDEN
　Abjuro dos erros, aceito e confirmo que a missa tem carácter sacrificial.

WALDECK
　Nada mais?

JAN VAN LEIDEN
　Se me poupares a vida, bispo Waldeck, ofereço-me para convencer os anabatistas que restem em Münster,
　E os mais que ainda se encontrem na Alemanha e nos Países Baixos,
　A que renunciem às suas ideias e à violência e sejam fiéis ao imperador,
　E, nesta cidade de Münster, à tua autoridade.

WALDECK
	Vales menos do que essas mulheres que a ti se prostituíram, Jan van Leiden.
	Elas preferiram a morte à abjuração, e tu abjuras delas e de todos estes mortos,
	Abjuras de Krechting e de Knipperdollinck, que irão morrer sujos de pecado, mas limpos de consciência.
	Desça outra gaiola para este cobarde.

		(*Jan van Leiden é atirado para dentro
		da terceira gaiola.*)

WALDECK (*Para Gertrud von Utrecht*)
	Saberemos agora se o rei era digno da rainha. Abjuras?

GERTRUD VON UTRECHT
	Não.

WALDECK
	Teu marido abjurou.

GERTRUD VON UTRECHT
	O Senhor lhe pedirá contas, como mas vai pedir a mim, e a ti, bispo, quando chegar a tua vez.
	Mas eu perguntarei ao juízo de Deus por que permite Ele esta mortandade dos homens que vem desde o princípio do mundo.
	Estes ódios de crenças, estas vinganças de povos, esta interminável dor do mundo,
	A quem não basta a morte natural.

WALDECK
Abjura.

GERTRUD VON UTRECHT
Abjuro da intolerância, abjuro dos males que pratiquei e permiti, abjuro de mim, quando culpada, e dos meus erros.
Mas não abjurarei da minha crença, porque só a tenho a ela.
Sem uma crença o ser humano é nada.

WALDECK
Matem-na.

(*Os soldados matam Gertrud von Utrecht. O bispo Waldeck e a sua comitiva retiram-se. Escurece. Uma luz vermelha incide sobre as gaiolas, que começam a ser subidas lentamente. Os soldados vão e vêm, matando os feridos. A luz diminui cada vez mais. Um a um, terminada a tarefa, os soldados retiram-se. A escuridão torna-se total quando o último vai desaparecer.*)

VOZ RECITANTE
Eis a palavra de Daniel:
"E ouvi jurar o homem vestido de linho, que estava sobre as águas do rio, levantando ao céu a mão esquerda assim como a mão direita: 'Por Aquele que vive eternamente, isto será num tempo, tempos e metade de um tempo. Primeiro, a força do povo há de quebrar-se inteiramente. Então todas estas coisas se cumprirão.'"

FIM

Cronologia sumária do movimento anabatista em Münster

A REFORMA EM MÜNSTER (1530-1533)

1500-1533
População de cerca de 10000 habitantes.

1525
Motins contra os conventos onde se exerciam artes e ofícios.

1527
Berndt Knipperdollinck torna-se chefe da oposição anticlerical em Münster.

1531
Berndt Rothmann prega a Reforma na Igreja de S. Maurício, a 1 km da cidade.

Janeiro de 1532
Expulso pelo bispo, Rothmann foge para a cidade, refugiando-se em casa de mercadores.

23 de Fevereiro de 1532
Rothmann começa a pregar na Igreja de S. Lamberto.

19 de Maio de 1532
Rothmann vence numa disputa contra teólogos católicos.

1 de Junho de 1532
Franz von Waldeck, bispo de Minden e de Osnabrück, é eleito, pelo Capítulo da catedral, bispo de Münster (os cónegos eram todos nobres).

1 de Julho de 1532
Criação duma comissão de 36 cidadãos com o objetivo de forçar o Conselho Municipal a introduzir a Reforma.

10 de Agosto de 1532
Introdução compulsiva da Reforma nas igrejas paroquiais.

8 de Outubro de 1532
O bispo ordena o sequestro de mercadorias de cidadãos münsterianos; bloqueio da cidade.

25/26 de Dezembro de 1532
Assalto dos münsterianos contra a vizinha cidade de Telgte: os cónegos do Capítulo e os conselheiros episcopais, que ali se encontravam reunidos, são levados como reféns.

14 de Fevereiro de 1533
Por mediação do conde de Hessen, a cidade e o bispo assinam o "Tratado de Dülmen": o bispo aceita a Reforma na cidade. Apenas a catedral e os conventos continuarão a ser católicos.

3 de Março de 1533
Eleição do Conselho Municipal: os protestantes alcançam a maioria.

17 de Março de 1533
 Eleição de curas para as paróquias. Os pregadores que se encontravam em atividade em 1532 são confirmados.

Radicalização até ao batismo dos adultos

Março/Abril de 1533
 Rothmann elabora um regulamento eclesiástico para a vida religiosa. O Conselho Municipal faz publicar uma *Zuchtordnung* (regras morais), segundo a qual a fiscalização da vida moral e religiosa passa a ser uma obrigação sua.

7/8 de Agosto de 1533
 Disputa pública na Câmara Municipal acerca dos sacramentos da ceia e do batismo. Rothmann pretende que a fé seja decisiva para o batismo.

7 de Setembro de 1533
 O pregador Staprade recusa-se a batizar uma criança.

5/6 de Novembro de 1533
 A ocorrência de motins leva o Conselho Municipal a ordenar a expulsão dos pregadores radicais. A Rothmann é permitido continuar na cidade, não podendo, porém, pregar.

22 de Outubro/8 de Novembro de 1533
 Impressão do primeiro tratado de confissão de Rothmann: *Confissão dos Dois Sacramentos, Ceia e Batismo.*

11 de Dezembro de 1533
 Ordem de expulsão contra Rothmann, não acatada.

Final de Dezembro de 1533
 Regresso dos pregadores expulsos.

5/6 de Janeiro de 1534
Rothmann e os seus aderentes deixam-se rebatizar por dois "apóstolos" de Jan Matthys, profeta anabatista.

13 de Janeiro de 1534
Chegada a Münster de Jan van Leiden, outro "apóstolo".

23 de Janeiro/3 de Fevereiro de 1534
Éditos episcopais contra os anabatistas. O bispo, de acordo com as leis do Império, tem o dever de combatê-los (conclusão do Reichstag de Spira, 1529).

26 de Janeiro de 1534
Rothmnann prega apenas aos anabatistas.

31 de Janeiro de 1534
O Conselho Municipal aprova um decreto de tolerância para os anabatistas.

3 de Fevereiro de 1534
O bispo convoca a nobreza.

8 de Fevereiro de 1534
Primeiros apelos à população para que faça penitência.

9 de Fevereiro de 1534
Correm rumores de que se aproximam as tropas do bispo, o que faz com que se armem católicos, protestantes e simpatizantes dos anabatistas. A guerra civil ameaça rebentar.

9/11 de Fevereiro de 1534
A manifestação de fenómenos meteorológicos reforça as expectativas apocalípticas.

11 de Fevereiro de 1534
O medo do castigo do bispo (como sucedera na cidade westfaliana de Paderborne, em 1532) leva os cidadãos de Münster a assinar

um tratado. Mas o decreto de tolerância de que os anabatistas beneficiaram é renovado, o que significa a guerra contra Waldeck. A situação em que o bispo se encontra obriga-o a eliminar os anabatistas, uma vez que, não o fazendo, o Imperador lhe retiraria o principado, reduzindo-o aos deveres eclesiásticos. Também o receio do Imperador fará com que os príncipes decidam ajudar o bispo. Nestas condições, os anabatistas não tinham qualquer possibilidade de sobrevivência. Do seu lado, apenas a crença da proximidade iminente do fim do mundo e do Juízo Final.

A *"Nova Jerusalém"*
(*Fevereiro-Abril de 1534*)

Fevereiro de 1534
Atemorizados pelo cerco, muitos habitantes abandonam a cidade, havendo casos de famílias divididas. Imigração, em direção a Münster, dos anabatistas da Westfália, dos Países Baixos e da Renânia.

17/18 de Fevereiro de 1534
O bispo convoca a nobreza e começa a recrutar mercenários.

23 de Fevereiro de 1534
Eleição do Conselho Municipal. Os simpatizantes do anabatismo ganham quase todos os lugares.

24 de Fevereiro de 1534
Kibbenbroick e Knipperdollinck são eleitos síndicos. Chegada de Jan Matthys, profeta dos anabatistas, que proclama a cidade como a "Nova Jerusalém" dos "Eleitos de Deus". Para limpar Münster de toda a impiedade, Jan Matthys provoca o iconoclasmo. Destruição dos arquivos da cidade como modo de romper com a história.

25 de Fevereiro de 1534
Surtida contra o Mosteiro de S. Maurício. Destruição da igreja e pilhagem das casas. Esta ação teve dois objetivos: um, religioso, afirmar

a força do anabatismo; outro, militar, inutilizar uma posição dos futuros sitiantes.

27 de Fevereiro de 1534
Princípio do cerco. No meio duma tempestade de neve, são expulsos os que se recusaram a deixar-se rebatizar. Outros, cerca de 300 homens e 2 000 mulheres, são batizados à força. Desta maneira, a unidade religiosa da cidade é restabelecida. Contudo, há que distinguir, entre os anabatistas, *a)* os convictos; *b)* os que querem apenas defender a cidade contra o bispo; *c)* os indiferentes; *d)* os que ficam ou vêm para Münster por espírito de aventura.

Princípio de Março de 1534
Ameaça de morte contra os que, em 27 de Fevereiro, tinham sido batizados à força: chamados à Igreja de S. Lamberto, têm de prostrar-se no chão e implorar a misericórdia de Deus, depois do que, inesperadamente, são perdoados. Começa o terror contra os suspeitos de pouca fé. Jan Matthys quer organizar a vida segundo o exemplo dos paleocristãos em Jerusalém: comunidade de bens, como entre os cristãos primitivos, o que, neste caso, equivalia a uma economia dirigida de guerra. Os títulos de dívida são queimados na praça pública. Supressão do dinheiro e confiscação das moedas.

Depois de 15 de Março de 1534
Queima dos livros existentes na biblioteca da catedral, nas bibliotecas particulares e nas livrarias.

Final de Março de 1534
Jan Matthys mata o ferreiro Hubert Ruescher, que criticara os profetas anabatistas.

5 de Abril de 1534
Domingo de Páscoa. Fazendo uma surtida contra os sitiantes, Jan Matthys vai tentar provocar o último Juízo de Deus sobre a terra, mas morre no cometimento. Jan van Leiden proclama-se sucessor do profeta.

JAN VAN LEIDEN, PROFETA E REI
(ABRIL DE 1534-JANEIRO DE 1535)

Abril de 1534
Jan van Leiden decide abolir a constituição municipal e criar a "Autoridade dos 13 Juízes" (ele próprio e os correspondentes aos Doze Juízes das Tribos de Israel), segundo o modelo do Antigo Testamento.

Maio de 1534
Começa a ser cunhada uma moeda (táler) com intenções propagandísticas, sem imagens, apenas com versículos da Bíblia.

25 de Maio de 1534
Assalto geral à cidade, sem resultado.

16 de Junho de 1534
Hille Feiken, natural da Frísia, tenta matar o bispo Waldeck, como no Antigo Testamento Judite matou Holofernes.

Final de Julho de 1534
Introdução da poligamia. Razão: a sexualidade está reservada à procriação. Na cidade santa não pode haver pecado, e portanto não pode haver contactos sexuais fora do casamento, com mulheres estéreis ou grávidas. Mas, porque existe muita gente não casada, impõe-se uma "liberalização", imitando, assim, a poligamia do Antigo Testamento.

29 de Julho de 1534
Heinrich Mollenhecke, antigo mestre do grémio dos ferreiros, e cerca de cinquenta outros cidadãos, adversários da poligamia, rebelam-se, manifestando intenção de entregar a cidade ao bispo.

30 de Julho de 1534
Os anabatistas retomam a Câmara Municipal.

1/3 de Agosto de 1534
Execução de Mollenhecke e de 46 rebeldes.

31 de Agosto de 1534
Repelido o segundo ataque geral à cidade.

Princípio de Setembro de 1534
Jan van Leiden deixa-se proclamar "Rei da Nova Jerusalém". Ao seu poder religioso juntam-se a autoridade política e o supremo comando militar.

Princípio de Outubro de 1534
Luta pelo poder entre Jan van Leiden e Knipperdollinck, que é preso, mas que aceita depois a autoridade do rei.

13 de Outubro de 1534
Envio de 27 "apóstolos" em missão aos quatro ventos: Osnabrück (Norte), Warendorf (Este), Soest (Sul) e Coesfel (Oeste).

Outubro de 1534
Berndt Rothmann publica o livro *Restituição da Justa Doutrina, Fé e Vida Cristã*.

5/8 de Novembro de 1534
A conferência dos príncipes aliados contra Münster decide continuar o cerco, aplicando uma tática de isolamento e de rendição da cidade pela fome.

Outono/Inverno de 1534/35
Diminuição dos combates e das ações militares. Jan van Leiden recorre aos divertimentos públicos (cavalhadas, danças, missas burlescas) para distrair os habitantes da gravidade da situação, ao mesmo tempo que procura mobilizar tropas auxiliares nos Países Baixos.

2 de Janeiro de 1535
Um novo regulamento concede ao rei poder absoluto.

FOME, DERROTA, CASTIGO
(1535-1536)

10 de Janeiro de 1535
O conde Wirich de Dhaun é nomeado comandante do exército sitiante.

Fevereiro/Março de 1535
Construção de um muro ao redor da cidade, a cerca de 1 km das muralhas.

28 de Março de 1535
Domingo de Páscoa. O resgate e a libertação, tão esperados e anunciados, não chegam.

7 de Abril de 1535
Um grupo de 500 anabatistas que se dirigia a Münster para auxiliar a cidade é vencido e destroçado em Oldekloster, na Frísia.

5/25 de Abril de 1535
A conferência dos Dez Círculos do Império Germânico, em Worms, decide ajudar o bispo Waldeck.

Abril de 1535
Assolada a cidade pela fome, autoriza-se a saída de quem queira abandoná-la. Mas, quando se trata de heréticos, as tropas do bispo e do Império não deixam que os fugitivos ultrapassem os muros de cintura, acabando os infelizes por morrer da mesma fome a que tentavam escapar.

3 de Maio de 1535
Eleição de 12 "Duques" para maior vigilância da cidade e da população.

23 de Maio de 1535
Fuga de Heinrich Gresbeck e do mercenário Hans van der Langenstraten, que são feitos prisioneiros.

27 de Maio de 1535
Else Wandscherer, uma das 16 mulheres do rei, critica-o e é por ele decapitada.

24 de Junho de 1535
Os dois desertores, Gresbeck e Langenstraten, guiam os sitiantes ao assalto da cidade.

25 de Junho de 1535
Münster é tomada pelas tropas do bispo e do Império, os anabatistas são chacinados. Apenas os chefes ficam prisioneiros.

27 de Junho de 1535
Fim dos combates na cidade.

7 de Julho de 1535
Execução das mulheres que se recusaram a renunciar à sua fé. Os chefes — Jan van Leiden, Knipperdollinck e Berndt Krechting, conselheiros do rei — são interrogados e torturados.

22 de Janeiro de 1536
Após condenação à morte, os três chefes são executados publicamente no mercado principal de Münster. O agravamento da pena consistiu — segundo o novo regulamento de Carlos v de 1532 ("Carolina") contra os rebeldes — em ser-lhes arrancada a carne com tenazes em brasa.

1536
O bispo Waldeck institui um novo regulamento e uma nova constituição para a cidade. Nomeia 24 conselheiros municipais. As eleições para o Conselho ficam proibidas, assim como os grémios dos ofícios. A população não chega a 3000 habitantes.

1541/1553
Waldeck restitui as liberdades à cidade, incluindo as eleições municipais e os grémios dos ofícios.

1560/1570
A população sobe para 10000 habitantes.

1ª EDIÇÃO [1993] 9 reimpressões

ESTA OBRA FOI COMPOSTA EM TIMES PELA PÁGINA VIVA E IMPRESSA
PELA GRÁFICA BARTIRA EM OFSETE SOBRE PAPEL PÓLEN SOFT DA SUZANO
PAPEL E CELULOSE PARA A EDITORA SCHWARCZ EM NOVEMBRO DE 2017

A marca FSC® é a garantia de que a madeira utilizada na fabricação do papel deste livro provém de florestas que foram gerenciadas de maneira ambientalmente correta, socialmente justa e economicamente viável, além de outras fontes de origem controlada.